LES PIVOTS
OSTÉOPATHIQUES

LES PIVOTS OSTÉOPATHIQUES

par

A. CECCALDI   et   J.-F. FAVRE

D.O. (G.-B.)   D.O. (G.-B.)

MASSON

Paris New York Barcelone Milan Mexico Sao Paulo

1986

© *Masson, Paris, 1986*
ISBN : 2-225-80787-6

MASSON S.A.	120, bd Saint-Germain, 75280 Paris Cedex 06
MASSON PUBLISHING USA Inc.	1 Ames Court, Plainview, N.Y. 11803
MASSON S.A.	Balmes 151, 08008 Barcelona
MASSON ITALIA EDITORI S.p.A.	Via Giovanni Pascoli 55, 20133 Milano
MASSON EDITORES	Dakota 383, Colonia Napoles, Mexico DF
EDITORA MASSON DO BRASIL Ltda	Rua Borges Lagoa 1044, CEP/0438, São Paulo, S.P.

PRÉFACE

Médecine douce lorsqu'elle est dispensée par des praticiens compétents, l'Ostéopathie recèle en elle-même assez de vertus pour n'être ni négligée ni considérée comme un simple adjuvant thérapeutique.

Il serait souhaitable aussi qu'elle ne fût pas victime d'un certain ostracisme assez primaire consistant à l'assimiler à de banales manipulations vertébrales, actes thérapeutiques bien connus certes, mais trop souvent mal utilisés.

Cet ouvrage sur les pivots mécaniques articulaires permettant une infinité de mouvements coordonnés dans l'espace, apporte une optique structurelle que l'on ne doit jamais oublier cliniquement.

Les données anatomo-physiologiques utiles sont minutieusement décrites, les relations mécaniques ne le sont pas moins et l'utilisation thérapeutique des pivots articulaires qui en découle est soigneusement analysée dans chacun des chapitres concernés.

Cette vision thérapeutique particulière qui concerne non seulement les inter-relations de ces mêmes pivots articulaires mais aussi leurs influences spécifiques sur l'ensemble du corps humain, est l'aboutissement des multiples recherches accomplies par les promoteurs de l'Ostéopathie depuis son fondateur A. STILL.

Il appartient à Alain CECCALDI et Jean-François FAVRE, en brillants élèves devenus des maîtres, d'avoir, avec le talent que j'apprécie depuis une vingtaine d'années, apporté ici les résultats de leurs remarquables travaux et d'avoir mis à la portée du plus grand nombre, les concepts de cette « subtile mécanique »...

Aussi m'est-il spécialement agréable, en présentant ce beau travail, de leur rendre un hommage particulièrement mérité. D'autant plus, d'ailleurs, que l'ensemble rejoint notre option hippocratique et paréenne de la diaeta, *cette bonne manière de vivre qui fait — et qui fera de plus en plus, pensons-nous — une légitime et large place à une thérapeutique hygiénique moderne.*

Félicitons sans restrictions les auteurs de cet ouvrage, d'apporter une nouvelle et fort utile contribution à la « médecine du bon sens ».

Professeur A.F. CREFF
Chef du Service des Maladies métaboliques,
Hôpital Saint-Michel (Paris)
Directeur d'Enseignement clinique à la Faculté (Paris)
(Nutrition - Médecine du Sport).

PRÉFACE

C'est grâce à l'implantation de cabinets professionnels et quelques publications scientifiques encore trop peu nombreuses que la Médecine Ostéopathique a acquis ses lettres de noblesse en France depuis une douzaine d'années.

Cet état de fait qui a conquis le public est, entre autres, le fruit de la motivation et de la détermination intangibles des membres de l'Association française des Ostéopathes, membres qui ont tous suivi la formation originelle dictée par notre maître Andrew Taylor STILL *(D.O.) (U.S.A.) et ses disciples* J.M. LITTLEJOHN *D.O. (U.S.A.) et* J. WERNHAM *D.O. (G.-B.).*

La mode des « médecines douces » et le créneau qu'elle a ouvert, a permis la multiplication d'ouvrages et de publications tendant à faire croire que la « véritable Ostéopathie » était uniquement basée sur des techniques qualifiées de « douces » telles que les techniques viscérales, d'écoute, crânio-sacrées, etc.

Cette tendance déviationniste traduit pour nous une Ostéopathie édulcorée, privée de son substrat anatomo-physiologique qui nous semble trahir la pensée de A.T. STILL, *et en particulier sa règle première : « La structure gouverne la fonction. »*

Nous rendons hommage et félicitons nos amis A. CECCALDI *et* J.F. FAVRE *qui rappellent ou apprennent aux lecteurs que le Traitement Structurel — vertébral, périphérique, général — est et doit rester à la base de la Médecine Ostéopathique, sans lequel toute autre action dite « douce » n'est que « poudre aux yeux ».*

Leurs explications basées sur les lois de l'anatomie, de la bio-mécanique et de la physiologie permettent d'appréhender la Médecine Ostéopathique sous un angle plus scientifique et plus rigoureux.

Fernand-Paul BERTHENET D.O. (G.-B.)
Membre fondateur et Secrétaire général
de l'Association française des Ostéopathes.
Chargé de cours à l'École Européenne d'Ostéopathie
et à la Faculté de Médecine de Paris-Nord — Bobigny
(département Médecine ostéopathique).

TABLE DES MATIÈRES

PRÉFACE du Pr A.F. CREFF V

PRÉFACE de F.-P. BERTHENET VII

PRÉAMBULE 1

INTRODUCTION 3

1. Définitions structurelles anatomo-physiologiques 5

Le ligament astragalo-calcanéen interosseux (5) ; Les ligaments croisés du genou (7) ; Le système ligamentaire « ilio-lombo sacré » (9) ; L'appareil ligamentaire sterno-claviculaire (11) ; La 3ᵉ vertèbre lombaire (13) ; La 9ᵉ vertèbre dorsale (15) ; Le complexe articulaire 3ᵉ et 4ᵉ dorsales - 4ᵉ côte (18) ; La 5ᵉ vertèbre cervicale (20) ; La 2ᵉ vertèbre cervicale (22).

2. Mise en évidence des pivots au travers d'un démontage particulier de la marche 25

Le premier double appui 26
Le premier appui unilatéral 34

3. Les pivots vertébraux. Les pivots ligamentaires : leur identité dans l'équilibre de la déambulation humaine 47

Définition « mécanique » du pivot 47
Les 7 axes de mobilité du pivot vertébral 48
Les lois mécaniques du trépied vertébral 50
Le pivot C 2 et les possibilités mécaniques du système de cardan Occ-C 1-C 2 57
Le pivot C 5 59
Le pivot D 3 - D 4 - R 4 60
Le pivot D 9 62
Le pivot L 3 63
Le complexe-pivot « ilio-lombo-sacré » 65
Le pivot ligamentaire astragalo-calcanéen 68
Le pivot ligamentaire du genou 71
Le pivot ligamentaire sterno-claviculaire 74

4. *Les pivots dans l'activité tonique posturale*   79

    Utilisation à leur encontre de certaines possibilités myo-fasciales du systè-
me croisé   79
    Le mouvement   81
    Notions physiologiques de base   82
    Rappel anatomique sommaire des systèmes extra-pyramidal et cérébel-
leux (83) ; Rappel anatomique sommaire du système médullaire segmentaire (84) ; L'activité tonique posturale (86).
    Lien neurologique pivots-système croisé myo-fascial   90
    Généralités concernant la thérapeutique associée des systèmes droit et
croisé   92
    Le système droit. Description globale   96
    Le système croisé. Description globale   98
    Incidences physio-pathologiques du système croisé sur les pivots   101
    Propositions d'une utilisation du système croisé en thérapeutique associée
aux pivots   108

5. *Spécificité physiopathologique de chaque pivot vertébral*   111

    Correspondances vertébro-viscérales   112
    Principales correspondances nerveuses radiculaires, musculaires et arti-
culaires   121

6. *Nomenclature thérapeutique ostéopathique des pivots*   125

Conseils   135

Bibliographie   137

Index alphabétique des matières   139

PRÉAMBULE

De nombreux ouvrages concernant l'ostéopathie viennent enfin garnir les rayons des librairies spécialisées. Ce n'est que justice pour une médecine manuelle douce trop souvent mal comprise et même dénigrée par certains.

Quelques-uns de ces ouvrages traitent du concept crânien, qui ne laisse personne indifférent — c'est le moins que l'on puisse dire ! La plupart d'entre eux sont cependant axés sur le côté plus technique de l'art ostéopathique, manœuvres et mobilisations des tissus mous, ajustements vertébraux et articulaires périphériques dans le respect d'une physiologie toujours plus approfondie.

Par contre, il nous est apparu qu'une lacune d'importance pouvait être constatée. L'aspect structurel fondamental n'est que peu ou pas abordé. Pourtant, le premier axiome de l'ostéopathie défini par son fondateur A. Still est bien : « La structure gouverne la fonction. »

Ses propres travaux et surtout ceux de ses disciples, Littlejohn, Hall, Wernham ont insisté tout particulièrement sur cet aspect fondamental. Il apparaît en effet que les lois mécaniques régissant notre lutte contre la pesanteur influent considérablement et d'une manière formelle sur toute la physiologie de notre corps.

Ces lois, aux intrications subtiles, sont délicates à maîtriser et même souvent à comprendre.

Qu'elles soient analytiques si l'on considère les rapports étroits intervertébraux, qu'elles soient tout spécialement dépendantes d'une sûreté palpatoire manuelle s'il s'agit d'un problème viscéral, ou qu'elles soient encore tout à fait globales lorsque le praticien doit intégrer dans sa démarche diagnostique l'ensemble du corps humain à soulager, ces lois doivent reprendre toute leur immense importance dans l'apprentissage et l'amélioration constante de la connaissance ostéopathique.

Nous espérons agir dans ce sens à l'aide de cet ouvrage.

INTRODUCTION

La subtile mécanique humaine et les relations structurelles étroites de ses composants lui permettant une autonomie et une physiologie exceptionnelles, sont en perpétuel antagonisme avec les forces plutôt néfastes de la pesanteur.

Les vecteurs de déplacement du corps humain, concrétisés par la marche, sont également un des facteurs primordiaux de cette autonomie et de cette physiologie.

Si le déplacement vectoriel postéro-antérieur (la marche) est de loin le plus important, si l'équilibre latéral dans le plan frontal est nécessaire à ce déplacement, il nous semble absolument primordial de privilégier le jeu mécanique articulaire dans le plan horizontal. C'est celui-ci qui autorise les plus grandes adaptations lors de la lutte contre la pesanteur. Au niveau vertébral, les lois de Lowett adaptées par Fryette en sont l'illustration parfaite. A ce titre, nos études poussées nous ont amenés à établir, en relations étroites avec les merveilleux travaux de Littlejohn, Hall et Wernham, un certain nombre de *secteurs clefs* dans l'équilibre mécanique du corps humain que d'autres avant nous ont dénommé « pivots ». Cette appellation nous agrée totalement.

Nous avons ainsi répertorié et étudié plusieurs « pivots » ligamentaires et vertébraux. Les premiers sont :
— Le pivot du pied, le ligament astragalo-calcanéen ;
— Le pivot du genou, les ligaments croisés du genou ;
— Le pivot ilio-lombo-sacré, charnière de la colonne et du segment porteur-propulseur ;
— Le pivot du système scapulaire, l'appareil ligamentaire sterno-claviculaire.

Les seconds, au niveau vertébral, sont : C 2 ; C 5 ; le complexe D 3 - D 4 - R 4 ; D 9 ; L 3

Il va sans dire que les atteintes lésionnelles spécifiques d'un ou de plusieurs « pivots » vont retentir sur l'ensemble de l'édifice structurel et affecter sûrement les démarches fonctionnelles de l'organisme. *L'homme est un tout* ; si, pour des raisons didactiques évidentes, nous sommes un peu obligés de « démonter » l'étude des « pivots » un par un, il importe que chacun replace dans le contexte global leur structure, leur fonction, leur pathologie, en accord avec les lois de l'ostéopathie.

C'est d'ailleurs à ce titre que nous pourrons schématiser l'image de *trépied vital* de l'homme en lui donnant comme support de définition : « ... l'ensemble des trois fonctions essentielles de la vie, la respiration, la circulation, l'innervation ».

1

DÉFINITIONS STRUCTURELLES
ANATOMO-PHYSIOLOGIQUES

Le but de ce chapitre consiste à présenter l'anatomie des structures que nous appelons « les pivots ». Nous en avons répertorié deux catégories :
— les pivots ligamentaires,
— les pivots vertébraux.

Les pivots ligamentaires sont :

— le ligament astragalo-calcanéen interosseux,
— les ligaments croisés du genou,
— le système ligamentaire « ilio-lombo-sacré »,
— les ligaments sterno-claviculaires.

Les pivots vertébraux sont :

— la 3ᵉ vertèbre lombaire (L 3),
— la 9ᵉ vertèbre dorsale (D 9),
— le complexe articulaire « 3ᵉ et 4ᵉ dorsale/4ᵉ côte » (D 3 - D 4 - R 4),
— la 5ᵉ vertèbre cervicale (C 5),
— la 2ᵉ vertèbre cervicale (Axis, C 2).

LE LIGAMENT ASTRAGALO-CALCANÉEN INTEROSSEUX (A-C)

Le ligament A-C interosseux représente le moyen d'union *indispensable* à la déambulation de l'homme debout. Il est situé dans le sinus du tarse. Il solidarise deux articulations :
— l'articulation A-C postérieure (externe) ;
— l'articulation A-C antérieure (interne) (fig. 1).

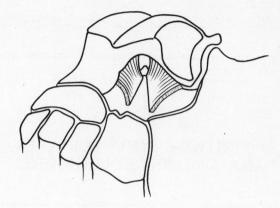

Fig. 1. — *Pivot astragalo-calcanéen.* Le ligament astragalo-calcanéen interosseux.

Son anatomie. — Il se compose de deux plans fibreux :
— l'un postérieur placé juste en avant de l'articulation A-C postérieure,
— l'autre antérieur situé juste en arrière de l'articulation A-C antérieure.

Les deux plans sont séparés par du tissu adipeux dans lequel se développe parfois une bourse séreuse.

Le plan A-C postérieur a une direction presque transversale au grand axe du calcanéum, tandis que le plan A-C antérieur a une direction beaucoup plus oblique en avant et en dehors.

La résultante directionnelle des deux plans A-C se trouve pratiquement *perpendiculaire à l'axe de Henke* (axe fonctionnel du pied). Le déroulement du pied sollicite particulièrement ce ligament qui subit des contraintes de double torsion inversée en fonction de l'appui. Il se compose de fibres verticales et obliques qui confirment sa fonction. Son innervation est issue d'une collatérale de la branche terminale externe du nerf tibial antérieur. Sa vascularisation est issue de l'artère du sinus du tarse née de l'artère pédieuse, quelquefois de la dorsale du tarse ou de la malléolaire externe. Elle se porte en dehors jusqu'à l'entrée du sinus qu'elle parcourt en s'anastomosant parfois avec un rameau de la plantaire interne. (H. Rouvière).

Sa physiologie :

— Au cours de l'appui le ligament A-C subit pleinement le cisaillement sous-astragalien dû à la pesanteur du corps et aux forces de transmission d'appui au sol.

— Le ligament A-C fait donc *pivot et frein physiologique du mouvement en même temps.*

— Lors de l'attaque du talon sur le sol, le pied se trouve en inversion. Le sinus du tarse tend à s'ouvrir. Le ligament A-C se tend au maximum, surtout à sa partie externe.

L'articulation A-C antérieure se déplace vers le dedans, tandis que l'A-C postérieure se déplace vers le dehors. Le ligament A-C se vrille pour faire frein du mouvement physiologique.

Le déroulement du pied sur le sol permet au ligament A-C de se neutraliser. Seule, la gravité s'applique directement sur les deux surfaces articulaires.

— Enfin, lors de la poussée-élan, les tendances mobilisatrices s'inversent. Le ligament A-C se vrille en sens inverse. L'articulation A-C antérieure se déplace vers le dehors tandis que l'A-C postérieur se déplace vers le dedans.

L'intégrité anatomique de ce ligament est obligatoire à une bonne physiologie articulaire. Elle détermine la bonne suite de la séquence articulaire autour de l'axe de Henke.

LES LIGAMENTS CROISÉS DU GENOU (LCA-LCP)

Au centre de l'échancrure intercondylienne les ligaments croisés réalisent un véritable pivot indispensable à la déambulation de l'homme debout. Les laxités chroniques du genou soulignent leur obligatoire nécessité (fig. 2).

Leur anatomie. — Ce sont deux cordons fibreux, courts et très épais, qui s'étendent du plateau tibial à l'espace intercondylien du fémur. Ils sont au nombre de deux :
— le ligament croisé antérieur (LCA),
— le ligament croisé postérieur (LCP).
D'après H. Rouvière (t. II, 309-310, 1940) :
— « Le LCA s'insère en bas sur la surface pré-spinale du plateau tibial, dans l'espace compris entre le tubercule interne de l'épine du tibia en arrière, l'insertion antérieure du fibro-cartilage externe en dehors et en arrière de l'attache antérieure du fibro-cartilage interne en avant ».

« Il se dirige en haut en arrière et en dehors, et se fixe suivant une zone d'insertion verticale sur la moitié postérieure de la face intercondylienne du condyle externe du genou ».

— « Le LCP naît de la surface rétro-spinale en arrière des insertions des fibro-cartilages externe et interne. Son attache se prolonge en bas et en arrière sur la partie supérieure de la dépression verticale qui fait suite à la surface rétro-spinale. Il se dirige en haut en avant et en dedans, et se termine suivant une ligne d'insertion horizontale sur la partie antérieure de la face intercondylienne du condyle interne, et sur le fond de l'échancrure intercondylienne ».

« Ils s'entrecroisent dans les sens antéro-postérieur et transversal. Le LCA est antérieur en bas et externe en haut (AE) tandis que le LCP est postérieur en bas et interne en haut (PI). Une bourse séreuse se développe assez souvent entre les deux ligaments et communique parfois avec la cavité articulaire ».

« Le long du LCP, le faisceau ménisco-fémoral entretient des rapports étroits avec la corne postérieure externe du ménisque ».

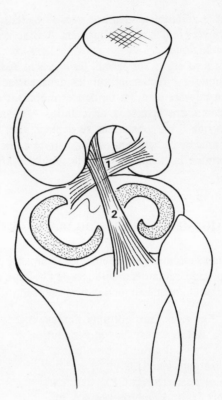

FIG. 2. — *Pivot du genou.*
Les ligaments croisés du genou :
1. antéro-externe ; 2. postéro-interne.

Le point de croisement des ligaments croisés réalise le pivot central. Il se situe exactement à l'entrecroisement des axes de flexion et de rotation. Ces axes en forme de spirale réalisent le lieu géométrique des centres instantanés de la flexion-rotation (Bousquet *et coll.,* 1982).

Leur physiologie. — Les ligaments croisés sont absolument indispensables à toute sorte de déambulation en appui.

— Lors de l'attaque du pas, l'extension de la jambe sur la cuisse diminue. Ce sont alors les condyles du genou qui tournent sur un tibia fixe. Cette phase « croise » les ligaments croisés:

— Pendant le déroulement du pied sur le sol l'entrecroisement se maintient. Ceci permet la stabilité rotatoire.

— Enfin, lors de la poussée-élan, c'est au tour du tibia de tourner sous le fémur en maintenant le croisement des ligaments.

— Le temps du membre inférieur oscillant passe d'une rotation interne, au moment de la poussée, à une rotation externe, au moment de l'attaque. Les croisés se « décroisent » pendant cette phase. La pathologie des laxités ligamentaires du genou souligne pleinement l'utilité de ce système ligamentaire.

LE SYSTÈME LIGAMENTAIRE « ILIO-LOMBO-SACRÉ » (ILS)

Le système ilio-lombo-sacré réalise une structure complexe dont le but principal est la *stabilité articulaire*. Il comprend de nombreux ligaments dont le rôle change en fonction de la cinématique demandée. Il comprend deux groupes de ligaments :
— les ligaments ilio-lombaires,
— les ligaments sacro-iliaques (fig. 3).

Leur anatomie :

Les ligaments ilio-lombaires se composent de deux faisceaux :

« Le faisceau supérieur, *ilio-transversaire lombaire supérieur*. Il se détache du sommet de l'apophyse transverse de la quatrième vertèbre lombaire. Il se dirige en bas en dehors et en arrière vers la crête iliaque où il s'insère ».

« Le faisceau inférieur, *ilio-transversaire lombaire inférieur*. Il se détache du sommet et du bord inférieur de l'apophyse transverse de la cinquième lombaire. Il se dirige en bas et en dehors pour s'insérer sur la crête iliaque en avant et en dedans du faisceau précédent. Nous distinguerons : un faisceau strictement iliaque, un faisceau strictement sacré ». (I.A. Kapandji, fasc. 3, 1972).

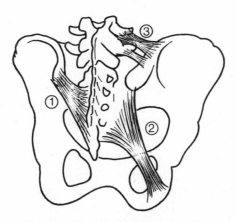

FIG. 3. — *Pivot ilio-lombo-sacré.* 1. ligaments ilio-transversaires conjugués ; 2. grand ligament sacro-sciatique ; 3. ligaments ilio-lombaires (freins).
D'après KAPANDJI.

Les ligaments sacro-iliaques. — Nous distinguerons comme H. Rouvière :
— les ligaments sacro-iliaques antérieurs,
— les ligaments sacro-iliaques postérieurs.

LES LIGAMENTS SACRO-ILIAQUES ANTÉRIEURS renforcent la capsule sur toute son étendue. Ils présentent toutefois à chacune de leurs extrémités, deux faisceaux qui se distinguent du reste du plan ligamenteux par leur épaisseur et la direction de leurs fibres en haut et en dehors. Ce sont les freins de nutation supérieur et inférieur.

Le frein de nutation supérieur (ligament antéro-supérieur) est tendu d'avant en arrière et de dedans en dehors, entre l'aileron du sacrum et l'os iliaque.

Le frein de nutation inférieur (ligament antéro-inférieur) possède une direction oblique en dedans en bas et en arrière. Il s'étend de l'extrémité supérieure de la grande échancrure sciatique au bord latéral du sacrum.

LES LIGAMENTS SACRO-ILIAQUES POSTÉRIEURS se composent de trois plans ligamenteux (Hakim) : superficiel, moyen, profond.

Le plan superficiel, adhérent au plan sous-jacent, se compose de faisceaux parallèles ou divergents, aplatis et minces mais résistants. Ils s'étendent du bord postérieur de l'os iliaque aux tubercules postéro-internes.

Le plan moyen comprend les ligaments ilio-transversaires sacrés et conjugués de Farabeuf ;
— le premier ilio-transversaire sacré unit l'extrémité supérieure de la crête iliaque à la branche de division supérieure de la première apophyse transverse sacrée. Sa direction est presque transversale ;
— le deuxième ilio-transversaire conjugué prend le nom de Zaglas.

Les ligaments ilio-transversaires conjugués sont au nombre de quatre. Ils sont placés les uns au-dessous des autres de telle manière qu'ils se recouvrent partiellement. Leur direction est de plus en plus oblique de dehors en dedans en bas et en arrière à mesure que l'on descend. Ce point anatomique nous paraît remarquable.

Le plan profond est représenté par un ligament interosseux ou ligament vague encore appelé axile. Il s'insère en dehors, sur toute la tubérosité iliaque, en avant du plan moyen, en particulier sur la pyramide et se termine en dedans sur les deux premières fosses criblées du sacrum. Son axe est presque transversal.

Enfin, il nous faut citer deux ligaments à distance de l'articulation sacro-iliaque dont le rôle est particulièrement important :
— le grand ligament sacro-iliaque, ou sacro-sciatique,
— le petit ligament sacro-iliaque, ou sacro-sciatique.

Leur physiologie. — La physiologie articulaire dans un seul plan comprenant un seul axe de mobilité ne pose pas de problème particulier. Ainsi les mouvements de nutation - contre-nutation sont très clairs. Malheureusement de nombreux mouvements utilisent plusieurs plans et plusieurs axes ensemble.

Nous savons que dans un système orthogonal à trois plans et trois axes, nous pouvons trouver un axe résultante qui permet un mouvement combiné. Cet axe est en général *oblique*.

La physiologie de la marche décrite par Mitchell utilise un système à deux axes obliques.

Le modèle décrit par Mitchell nous agrée parfaitement. Toutefois, son côté théorique nous a poussés à « démonter » plus avant l'anatomie, afin de matérialiser ses fameux axes obliques. Nous pensons pouvoir affirmer que l'axe oblique décrit par Mitchell peut se matérialiser anatomiquement de la façon suivante :

EXEMPLE AXE GAUCHE :
— les freins de nutation antérieurs gauches,
— les ligaments ilio-transversaires conjugués gauches,
— le grand ligament sacro-sciatique droit.

Nous pensons que ce sont les 3e et 4e faisceaux des ligaments ilio-transversaires conjugués qui représentent le mieux la matérialisation anatomique de l'axe oblique, car ils sont les plus longs et les plus inclinés sur l'E.I.P.S. et présentent ainsi le mouvement de tension le plus grand.

Le grand ligament sacro-sciatique opposé représente une contre force obligatoire à tout système de forces. Le frein ligamentaire de l'ensemble de ce système serait les ligaments ilio-lombaires. L'illustration du mouvement sur axe oblique est utilisé pendant l'exercice fonctionnel numéro un de l'homme que représente le marché (description au chapitre 2).

Le système ilio-lombo-sacré représente un réel pivot du mouvement chez l'homme. Nous insistons toutefois sur son rôle principal : **la stabilité.**

L'APPAREIL LIGAMENTAIRE STERNO-CLAVICULAIRE (S-C)

Les ligaments sterno-claviculaires représentent le moyen d'union le plus solide de cette articulation. Ils constituent le réel pivot anatomique des mouvements de la clavicule et solidarisent le seul point fixe articulaire de la chaîne cinétique de l'épaule (fig. 4).

Son anatomie. — L'articulation sterno-costo-claviculaire présente à décrire des moyens d'union :

UNE CAPSULE s'insère au pourtour de l'articulation. Le fibro-cartilage adhère sur toute sa circonférence.

DES LIGAMENTS PASSIFS renforcent la capsule :
— en avant : le ligament sterno-claviculaire antérieur,
— en arrière : le ligament sterno-claviculaire postérieur,
— en haut : le ligament sterno-claviculaire supérieur qui comprend deux couches :
   . profonde, ou ligament sterno-claviculaire proprement dit,
   . superficielle, ou ligament interclaviculaire.

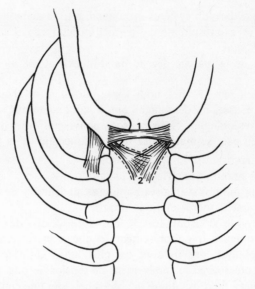

Fig. 4. — *Pivot du système scapulaire.*
1. le ligament interclaviculaire ; 2. le
ligament sterno-claviculaire : antérieur, postérieur.

    — en bas : le ligament inférieur ou costo-claviculaire.

    Il se dirige en haut et en dehors. Il comprend deux couches quelquefois
séparées par une bourse séreuse :

        . la couche antérieure ou superficielle est la continuation de l'aponévrose
          du muscle sous-clavier,

        . la couche profonde représente le ligament proprement dit.

    UNE SYNOVIALE qui présente deux parties lorsque le ménisque n'est pas
perforé en son centre.

    L'ensemble ligamentaire est innervé par la branche claviculaire du plexus
superficiel issue de la troisième anse du plexus. La vascularisation est issue des
collatérales de l'artère mammaire interne et de l'intercostale correspondante
(H. Rouvière).

    Sa physiologie. — Nous avons volontairement décrit l'anatomie de l'appareil
ligamentaire. Physiologiquement nous devons en considérer deux, le droit et le
gauche, qui constituent un système ligamentaire. Ce système subit la contrainte
de vrillage de la ceinture scapulaire lors de chaque double appui dans le cycle
de la marche, et des contraintes de traction-étirement, lors de l'utilisation des
membres supérieurs, unilatérales ou bilatérales en fonction de leur utilisation.

    — Lors de l'antépulsion, l'extrémité interne de l'articulation S-C se postériorise et s'infériorise. Les éléments capsulo-ligamentaires de contentions articulaires font « pivot physiologique » du mouvement.

— Lors de la rétropulsion, l'extrémité interne de l'articulation S-C s'antériorise et s'élève très légèrement.

— Lors du mouvement alterné combiné des deux membres supérieurs, l'appareil ligamentaire sterno-claviculaire représente le pivot du mouvement. Son intégrité anatomique est le garant d'une bonne physiologie articulaire. Le ligament sterno-costo-claviculaire inférieur représente le frein ligamentaire physiologique.

LA 3ᵉ VERTÈBRE LOMBAIRE (L 3)

CARACTÉRISTIQUES MORPHOLOGIQUES STRUCTURELLES PRINCIPALES. — L 3 présente :
— un corps massif réniforme à grand axe transversal,
— des apophyses costiformes très longues,
— une apophyse épineuse massive et rectangulaire (fig. 5).

FORME DES SURFACES ARTICULAIRES :

Les surfaces corporéales. — Une plaque cartilagineuse recouvre chaque plateau à l'exception du listel marginal. Elles sont situées dans un plan pratiquement horizontal par rapport au sol chez l'homme debout.

Les disques intervertébraux sus et sous-jacents sont particulièrement hauts (1/3 du corps environ). Cette notion est un facteur fondamental de mobilité. *Il*

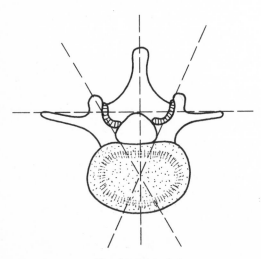

FIG. 5. — *Pivot L 3.*

conditionne le jeu harmonieux du système articulé représenté par les apophyses articulaires.

Les apophyses articulaires. — Au niveau de L 3, ce sont des segments de cylindre pleins et creux suivant leur situation supérieure ou inférieure. La position excentrée des apophyses articulaires par rapport au pivot discal (rotule mécanique représentant le pied antérieur du trépied) leur confère une fonction de guide. Ainsi le mouvement de L 3 ne peut jamais se concevoir seul, mais obligatoirement avec les éléments sus et sous-jacents.

LE SYSTÈME LIGAMENTAIRE DIT « PASSIF ». — Il participe activement à la stabilisation du rachis. Nous le savons fibreux et peu élastique. Nous distinguerons classiquement :
— les ligaments blancs,
— les ligaments jaunes.

Les ligaments blancs :
— courts
  . les ligaments intertransversaires,
  . les ligaments interépineux,

— longs
  . le ligament commun vertébral antérieur,
  . le ligament commun vertébral postérieur,
  . les ligaments épineux.

Les ligaments jaunes : contrairement aux ligaments blancs, ils sont très élastiques et unissent les lames en obturant l'espace qui les sépare. Latéralement, ils renforcent les capsules des articulations apophysaires.

LE SYSTÈME MUSCULAIRE « ACTIF ». — Il présente :
— une force de serrage axial (compression ou gainage),
— un système de haubans (érection rachidienne).

Le système musculaire participe pleinement, avec le système ligamentaire, à la stabilisation du rachis.

Au point de vue musculaire, L 3 représente une vertèbre très particulière. Kapandji lui confère un rôle de pivot par l'insertion musculaire particulière des très puissants groupes postérieurs.

La disposition des insertions musculaires antérieures est également très particulière. En effet, l'entrecroisement des insertions des piliers du diaphragme et des muscles psoas par l'intermédiaire des arcades, réalise *un original système de forces* dont L 3 nous semble le chef.

LA TOPOMÉTRIE RADICULO-MÉDULLO-VERTÉBRALE. — D'après Delmas (*Médicorama,* n° 242, 12, 1980) nous comptabilisons au niveau de L 3, 18 racines. Il s'agit de la partie haute de la queue de cheval qui réalise un véritable bourrage dure-mérien.

LES RAPPORTS LES PLUS IMPORTANTS. — La situation de L 3 au sommet de la lordose lombaire (flèche d'environ 3 à 4,5 cm), et l'horizontalité des surfaces articulaires corporéales lui confèrent anatomiquement le rôle de pivot que nous lui donnons.

La troisième vertèbre lombaire L 3 se trouve en relation avec les éléments anatomiques suivants :

En avant
— *extra-péritonéal*
  . les muscles psoas droit et gauche,
  . les piliers du diaphragme droit et gauche,
  . la veine cave inférieure,
  . l'aorte abdominale,
  . la citerne de Pecquet,

— *intra-péritonéal*
  . la tête et le corps du pancréas,
  . la 3e et 4e partie du duodénum,
  . le côlon transverse (plus ou moins haut),
  . la racine postérieure du mésentère.

Latéralement
  . les muscles carrés des lombes,
  . l'aponévrose d'insertion du transverse de l'abdomen,
  . le sympathique abdomino-pelvien.

En arrière : les muscles spinaux profonds.

LA 9e VERTÈBRE DORSALE (D 9)

CARACTÉRISTIQUES MORPHOLOGIQUES STRUCTURELLES PRINCIPALES. — D 9 présente :
— un corps dont le diamètre transversal est à peu près égal au diamètre antéro-postérieur,
— des apophyses transverses obliques en dehors et en arrière,
— une apophyse épineuse volumineuse, longue, unituberculeuse mais dont l'inclinaison commence à diminuer par rapport aux vertèbres sus-jacentes (fig. 6).

LA FORME DES SURFACES ARTICULAIRES :

Les surfaces corporéales. — Elles sont planes et s'articulent avec les disques intervertébraux des vertèbres sus et sous-jacentes. Leur hauteur est toutefois plus limitée que les disques lombaires.

Les apophyses articulaires. — Ce sont des arthrodies planes de type thoracique.

Les apophyses articulaires supérieures sont orientées en arrière, légèrement en haut et en dehors.

Les apophyses articulaires inférieures sont orientées en avant, légèrement en bas et en dedans.

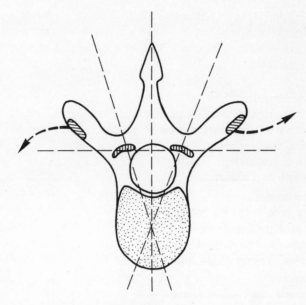

FIG. 6. — *Pivot D 9.*

Les facettes articulaires costales. — Elles sont situées à la partie postéro-latérale du corps. Nous distinguons :
— une facette supérieure qui déborde généralement sur la racine du pédicule,
— une facette inférieure qui biseaute la partie postéro-latérale inférieure du corps.

Les facettes articulaires de l'apophyse transverse. — Elles se situent au niveau de l'extrémité libre antérieure de l'apophyse transverse et répondent à la tubérosité costale.

LE SYSTÈME LIGAMENTAIRE DIT « PASSIF ». — Au niveau vertébral, il est identique au système ligamentaire lombaire. Nous devons ajouter le système ligamentaire des articulations costo-vertébrales.

— Chaque paire de côtes s'articule avec les vertèbres sus et sous-jacentes grâce à deux articulations par côte. (L'arête de l'angle dièdre de chaque tête costale correspond au disque intervertébral.)
— La tubérosité costale de *l'apophyse transverse de la vertèbre sous-jacente.*
— Les ligaments de l'articulation costo-vertébrale sont :
   . un ligament interosseux fixé sur le disque intervertébral,
   . le ligament rayonné.

— Les ligaments de l'articulation costo-transversaire sont :
   . le ligament costo-transversaire interosseux,
   . le ligament costo-transversaire postérieur,

. le ligament costo-transversaire supérieur,
. le ligament costo-transversaire inférieur.

LE SYSTÈME MUSCULAIRE DIT « ACTIF » :

— D 9 ne présente aucune insertion musculaire antérieure.

— D 9 présente dans sa partie postérieure les muscles profonds des gouttières vertébrales. Les muscles les plus profonds sont mono-articulaires. Il est toutefois très difficile d'isoler fonctionnellement ces muscles qui sont sous le contrôle de l'activité tonique posturale et dont le rôle est antigravitaire (gainage postérieur profond), et proprioceptif.

— Nous pouvons toutefois noter la présence des surcostaux en plus des spinaux.

LA TOPOMÉTRIE RADICULO-MÉDULLO-VERTÉBRALE. — Pour Delmas le même disque peut comprimer deux racines. D 9 est en rapport postérieur avec les 9ᵉ et 10ᵉ racines.

D 9 présente également la particularité vasculaire que représente l'artère radiculaire d'Adamkiewicz (D 9 - D 10 - D 4).

LES RAPPORTS LES PLUS IMPORTANTS. — La situation de D 9 est particulière et triple (voir chapitre Mécaniques) :
— point de tension,
— clef de voûte de l'arc entier,
— pivot inter-arche.

D 9 se trouve entièrement intrathoracique juste au-dessus du niveau du centre phrénique.

La 9ᵉ vertèbre dorsale D 9 se trouve en relation avec les éléments anatomiques suivants :

En avant :
— l'artère aorte,
— le canal thoracique,
— le système des veines azygos,
    . grande veine azygos,
    . hémi azygos inférieure,
— l'œsophage,
— en avant du médiastin postérieur se projette la face postérieure du cœur (oreillette gauche).

Latéralement :
— les muscles intercostaux,
— la chaîne sympathique latéro-vertébrale,
— la 8ᵉ racine rachidienne dorsale.

En arrière : les muscles spinaux profonds.

LE COMPLEXE ARTICULAIRE
3ᵉ ET 4ᵉ DORSALES - 4ᵉ COTE
(D 3 - D 4 - R 4)

Caractéristiques morphologiques structurelles principales. — D 4 représente la vertèbre dorsale type. R 4 représente une côte type (fig. 7).

La forme des surfaces articulaires

D 4 :

— Les surfaces corporéales sont planes et s'articulent avec les disques intervertébraux sus et sous-jacents. Elles se situent dans un plan pratiquement horizontal.

— Les surfaces articulaires sont planes. Les supérieures sont orientées en haut en dehors et en arrière, tandis que les inférieures sont orientées en avant en bas et en dedans.

— Les surfaces articulaires costales taillent en biseau les parties postérolatérales des plateaux vertébraux.

— La facette costale qui répond à la tubérosité costale se situe à l'extrémité antérieure de l'apophyse transverse.

R 4 :

— La tête de la côte représente un angle dièdre qui s'articule avec la facette costale sus-jacente (facette inférieure costale de D 3) et la facette costale sous-jacente (facette costale supérieure de D 4).

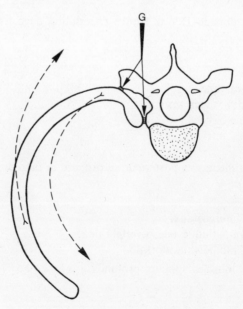

Fig. 7. — *Complexe D 3 - D 4 - R 4.*

— La tubérosité costale répond à la facette costale de l'extrémité antérieure de l'apophyse transverse.

L'ensemble articulaire ainsi formé présente 12 articulations. La complexité biomécanique ainsi constituée rend compte de la difficulté technique et du nombre de possibilités lésionnelles.

LE SYSTÈME LIGAMENTAIRE « PASSIF ». — Il comprend le même système que pour toutes les vertèbres et pour toutes les côtes (Voir la description de D 9).

Toutefois, nous devons insister sur le *montage articulé* ainsi constitué. L'intrication ligamentaire avec les éléments sus et sous-jacents (vertébraux et costaux) en font une zone de faible mobilité qui correspond au rôle de pivot D 4/R 4, base de la triangulation supérieure et du point de « stress » maximum de l'arc dorsal.

LE SYSTÈME MUSCULAIRE « ACTIF »

En arrière : les muscles spinaux profonds.

Latéralement :
— les muscles surcostaux,
— les muscles intercostaux.

En avant : les muscles profonds antérieurs du cou (droit antérieur et long du cou).

LA TOPOMÉTRIE RADICULO-MÉDULLO-VERTÉBRALE. — D 4 peut comprimer les 5ᵉ et 6ᵉ racines.

LES RAPPORTS LES PLUS IMPORTANTS. — Le complexe D 3 - D 4 - R 4 se trouve en relation avec les éléments anatomiques suivants :

En avant :
— grande veine azygos gauche,
— trachée,
— crosse de l'aorte,
— canal thoracique,
— système des veines azygos :
  . crosse azygos,
  . hémi azygos supérieure,
— œsophage.

Latéralement :
— les muscles intercostaux,
— la chaîne sympathique latéro-vertébrale,
— poumon droit et gauche,
— cavité pleurale droite et gauche,
— la 3ᵉ racine rachidienne dorsale.

En arrière : les muscles spinaux profonds.

LA 5ᵉ VERTÈBRE CERVICALE (C 5)

CARACTÉRISTIQUES MORPHOLOGIQUES STRUCTURELLES PRINCIPALES. — C 5 présente :

— Un corps allongé transversalement, plus épais en avant qu'en arrière.

— Il présente, au niveau de son bord antéro-supérieur, un méplat qui permet l'articulation avec le bec du bord antéro-inférieur. Cette particularité anatomique cervicale joue un rôle important dans la flexion-extension.

— Les pédicules sont échancrés au niveau des bords supérieurs et inférieurs.

— L'apophyse épineuse est bituberculeuse.

— Les apophyses transverses s'implantent par deux racines qui circonscrivent avec le pédicule correspondant le trou transversaire. Leur face supérieure est creusée en gouttière et leur sommet bituberculeux (fig. 8).

LA FORME DES SURFACES ARTICULAIRES

Les surfaces corporéales. — En plus de la particularité « bec-méplat », elles présentent des *apophyses semi-lunaires* sur les bords latéraux des faces supérieures qui s'articulent avec le biseautage correspondant des bords latéraux des faces inférieures. Cette nouvelle spécificité joue un rôle dans la physiologie de la latéroflexion.

Les surfaces corporéales, qui s'articulent par l'intermédiaire des disques intervertébraux, se trouvent globalement convexes dans le sens antéropostérieur, et concaves dans le sens latéral.

Les articulations unco-vertébrales. — Ce sont les articulations des apophyses semi-lunaires que nous venons de décrire.

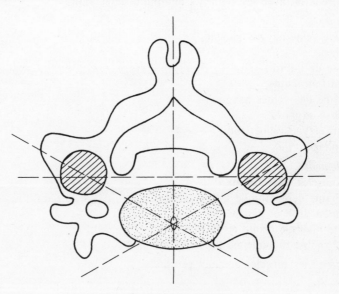

FIG. 8. — *Pivot C 5.*

Les apophyses articulaires. — Ce sont des surfaces planes qui sont orientées, en haut et en arrière pour les supérieures, et, en bas et en avant pour les inférieures.

LE SYSTÈME LIGAMENTAIRE DIT « PASSIF ». — Il présente exactement les mêmes caractéristiques que celui décrit pour L 3.

LE SYSTÈME MUSCULAIRE « ACTIF ». — La 5e vertèbre cervicale est complètement entourée de muscles.

En avant les muscles du plan profond prévertébral :
— muscle droit antérieur,
— muscle long du cou.

Latéralement les muscles latéraux du plan profond vertébral :
— muscles scalènes (antérieur, majeur, postérieur),
— muscles intertransversaires.

En arrière, les muscles profonds postérieurs :
— muscle sacro-lombaire (portion cervicale),
— muscle transversaire épineux,
— muscle transversaire du cou,
— muscle long dorsal,
— muscle splénius,
— muscles grand et petit complexus.

LA TOPOMÉTRIE RADICULO-MÉDULLO-VERTÉBRALE. — C 5 se trouve situé entre la 5e racine au-dessus et la 6e au-dessous.

La vascularisation médullaire est souvent caractéristique d'une grosse artère antérieure à ce niveau (C 5 - C 6 - C 7).

LES RAPPORTS LES PLUS IMPORTANTS. — La situation de C 5 est d'être pivot de l'arche cervico-dorsale.

La 5e vertèbre cervicale C 5 se trouve en relation avec les éléments anatomiques suivants :

En avant :
— le plan profond antérieur
. muscle droit antérieur,
. muscle long du cou,
— l'aponévrose profonde prévertébrale,
— la gaine viscérale du cou.

Latéralement :
— les muscles profonds latéraux (scalènes),
— l'artère vertébrale (intratransversaire),
— les gaines vasculo-nerveuses du cou,
— la 5e racine rachidienne cervicale.

En arrière : les muscles profonds cervicaux.

LA 2ᵉ VERTÈBRE CERVICALE (AXIS OU C 2)

CARACTÉRISTIQUES MORPHOLOGIQUES STRUCTURELLES PRINCIPALES. — C 2 présente :

— Un corps surmonté d'une volumineuse saillie verticale, l'apophyse odontoïde.

— Sa face inférieure présente en avant un bec très accentué.

— Les pédicules s'étendent des surfaces articulaires supérieures à l'extrémité antérieure des lames.

— Les apophyses transverses présentent deux racines : l'antérieure s'implante sur le corps, la postérieure naît du pédicule ; elles supportent la partie externe de la surface articulaire supérieure.

— L'apophyse épineuse est longue, volumineuse et bifide à son extrémité.

— Le trou vertébral est plus grand que celui des vertèbres sous-jacentes, mais plus petit que l'atlas (fig. 9).

LA FORME DES SURFACES ARTICULAIRES

Les surfaces corporéales :

— La surface supérieure est surmontée de l'apophyse odontoïde. Cette apophyse sert de pivot anatomique à l'atlas. Elle présente deux facettes articulaires elliptiques à grand axe vertical.

— L'antérieure, convexe dans tous les sens, qui s'articule avec l'arc antérieur de l'atlas.

— La postérieure, convexe transversalement et concave de haut en bas, qui répond au ligament transverse. (Le véritable *frein* de la mobilité.)

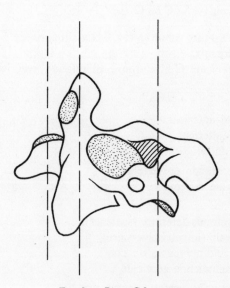

FIG. 9. — *Pivot C 2 - axis.*

— La surface inférieure présente comme toutes les surfaces corporéales, un disque intervertébral avec la vertèbre sous-jacente.

L'axis présente donc la particularité d'être atypique dans sa moitié supérieure et typique dans sa moitié inférieure.

Les apophyses articulaires :

— Les apophyses articulaires supérieures sont situées de part et d'autre de l'apophyse odontoïde. Elles sont ovalaires à petite extrémité dirigée en avant et en dedans. Les surfaces sont planes transversalement, légèrement convexes d'avant en arrière, et légèrement inclinées en dehors.

— Les apophyses articulaires inférieures sont situées en-dessous de l'extrémité antérieure des lames.

LE SYSTÈME LIGAMENTAIRE DIT « PASSIF ». — Il nous faut considérer l'ensemble du système articulaire occiput-atlas-axis-C 3.

Si le système ligamentaire d'axis sur C 3 ne présente pas de différence majeure avec les autres articulations cervicales, occiput-atlas-axis présente un jeu ligamentaire particulièrement adapté à la physiologie du cardan O.A.A. Il est très spécifique.

Au niveau atloïdo-odontoïdien :

— L'articulation atloïdo-odontoïdienne antérieure présente une capsule.

— L'articulation atloïdo-odontoïdienne postérieure s'articule avec le *ligament transverse.* C'est une lame fibreuse très épaisse et très dense qui présente à la partie moyenne des bords supérieurs et inférieurs deux faisceaux :

 . un faisceau supérieur, le ligament occipito-transversaire,

 . un faisceau inférieur, le ligament transverso-axoïdien.

L'ensemble de ce ligament est connu sous le nom de *ligament cruciforme.*

Au niveau atloïdo-axoïdien. — Ce sont les articulations des surfaces articulaires inférieures des masses latérales de l'atlas et les apophyses supérieures de l'axis.

La capsule est très lâche et permet une assez grande laxité. Elle est renforcée en dehors par le ligament occipito-atloïdien latéral.

Au niveau axis - C 3. — Le système ligamentaire devient classique. Avant d'énumérer les autres ligaments O.A.A., notons :

— le ligament occipito-odontoïdien médian,

— deux ligaments occipito-odontoïdiens latéraux,

— les ligaments occipito-axoïdiens médian et latéraux qui recouvrent le ligament cruciforme.

Citons pour mémoire les autres ligaments :

En avant :

 . le ligament occipito-atloïdien antérieur,

 . le ligament atloïdo-axoïdien antérieur,

 . le grand ligament vertébral antérieur.

En arrière :

. le ligament occipito-atloïdien postérieur à travers lequel pénètre l'artère occipitale et le 1er nerf cervical,

. le ligament atloïdo-axoïdien postérieur qui laisse sortir le 2e nerf cervical (Arnold),

. le ligament interépineux,

. le ligament cervical postérieur (cloison fibreuse très épaisse équivalente d'un ligament surépineux).

LE SYSTÈME MUSCULAIRE « ACTIF ». — Nous devons distinguer : les muscles sous-occipitaux profonds, et les autres plans musculaires.

Les muscles sous-occipitaux ont un rôle capital dans l'activité tonique posturale d'une part, et, dans l'adaptation du cardan O.A.A. d'autre part.

Nous distinguons :

— le grand droit postérieur,

— le petit droit postérieur,

— le grand oblique,

— le petit oblique,

— les inter-épineux.

Ils sont innervés par la branche postérieure de C 1 et couplés, par l'intermédiaire de la bandelette longitudinale postérieure, aux structures du tronc cérébral (oculo-motricité, équilibre, proprioceptivité), associées avec la réticulée mésencéphalique.

Les autres plans musculaires. — Ils ne sont pas spécifiques de C 2.

— Toutefois, les insertions des splénius et de l'angulaire de l'omoplate ont des relations avec C 2.

— Antérieurement, il en est de même pour le muscle long du cou (plan profond antérieur).

LA TOPOMÉTRIE RADICULO-MÉDULLO-VERTÉBRALE

— C 2, racine mixte, sort au-dessus de l'axis,

— C 3, racine mixte, sort au-dessous de l'axis.

LES RAPPORTS LES PLUS IMPORTANTS. — La 2e vertèbre cervicale C 2 se trouve en relation avec les éléments anatomiques suivants :

En avant :

— les muscles profonds antérieurs,

— l'aponévrose péripharyngienne,

— le pharynx moyen.

Latéralement :

— les muscles latéraux profonds,

— le ganglion cervical supérieur (GCS),

— l'artère vertébrale (intratransversaire),

— la 2e racine rachidienne cervicale.

En arrière : les muscles profonds sous-occipitaux.

2

MISE EN ÉVIDENCE DES PIVOTS AU TRAVERS D'UN DÉMONTAGE PARTICULIER DE LA MARCHE

La marche représente l'exercice fonctionnel numéro un de l'homme. Elle réalise un mouvement total du corps. Le but de ce chapitre consiste à mettre en évidence le rôle des « pivots ligamentaires et vertébraux » dans cette activité favorite de l'être humain. Les mouvements pivots sont nombreux, complexes et simultanés. La compréhension de leur cinétique passe obligatoirement par un démontage analytique minutieux.

Nous adopterons le plan classique du pas selon Jules Marey (fig. 10).

— Le premier double appui (antérieur droit/postérieur gauche).

— Le premier appui unilatéral (membre inférieur droit portant/membre inférieur gauche oscillant).

— Le deuxième double appui (antérieur gauche/postérieur droit).

— Le deuxième appui unilatéral (membre inférieur gauche portant/membre inférieur droit oscillant).

Nous limiterons notre étude à un demi-pas en partant du premier double appui. Dans le cadre de ce plan nous replacerons tous les mouvements dits « annexes » de la marche, et nous les intègrerons dans la ou les phases qui leur appartiennent.

Nous décrirons également le rôle de chaque pivot dans la marche en terrain plat, en partant des pieds vers la tête. La description de chaque temps sera artificiellement arrêtée. Chaque lecteur se devra donc de reconstituer la séquence complète du mouvement qu'est la marche pour aboutir à « un ensemble articulé en mouvement ».

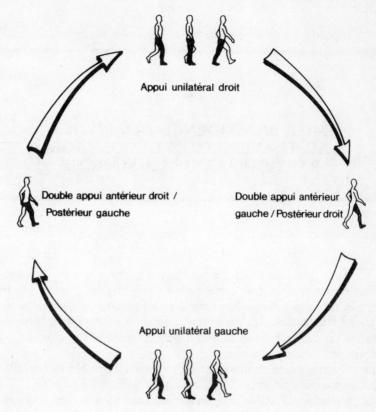

Appui unilatéral droit

Double appui antérieur droit /
Postérieur gauche

Double appui antérieur
gauche / Postérieur droit

Appui unilatéral gauche

Fig. 10. — *Cycle de la marche.*

LE PREMIER DOUBLE APPUI
(antérieur droit/postérieur gauche)

Les mouvements des membres inférieurs

Nous décrirons conventionnellement d'abord le membre inférieur droit, qui va devenir « portant », puis le membre inférieur gauche qui va devenir « oscillant ».

Le membre inférieur droit. — La finalité consiste à exécuter un « appui antérieur de réception-freinage » d'après Ducroquet (1963).

L'attaque du pas par LE TALON droit représente le temps zéro du cycle de la marche.

L'intégrité physiologique du pivot ligamentaire A-C nous semble fondamentale lorsque le talon entre en contact avec le sol par son appui postéro-externe.

Le rabattement du pied sur le sol et la verticalisation de la jambe portante sollicitent particulièrement les articulations tibio-tarsiennes et astragalo-calcanéennes.

L'ensemble des muscles agissant sur la cheville entre alors en action. Ils réalisent :

— le freinage du rabattement du pied sur le sol par les muscles de la loge antérieure de la jambe,

— une action anti-valgus par le muscle jambier postérieur,

— le début de la stabilisation du genou par les muscles soléaire et long fléchisseurs des orteils (propre du 1 et commun).

LE GENOU verrouillé en extension presque complète passe en légère flexion sous l'influence du poids du corps. Le muscle quadriceps prend rapidement en charge cette flexion par une contraction excentrique.

Les muscles de la patte d'oie jouent un rôle de ligament actif très important pour limiter le valgus physiologique du genou au moment de l'attaque du pas par le talon sur le sol.

L'intégrité physiologique des ligaments croisés (pivots du genou) est nécessaire même si la marche en terrain plat demande une sollicitation réduite. Les laxités du genou illustrent très bien leur nécessaire utilité.

LA HANCHE se trouve en *flexion rotation externe* au moment de l'attaque du pas.

La flexion diminue du fait de l'avancée du bassin.

Les abducteurs stabilisent latéralement le bassin.

Le moyen fessier est le muscle dominant de cette stabilisation, mais il faut insister sur l'action poly-articulaire du tenseur du fascia lata qui stabilise également le genou.

Le petit fessier joue alors un rôle important dans la rotation externe du bassin.

Le membre inférieur gauche. — Sa finalité consiste à exécuter un « appui postérieur d'élan » d'après Ducroquet.

LE TALON est franchement décollé et le pied ne repose sur le sol que par son avant pied. Cette « poussée-décollage » met en jeu *tout le système équilibrateur musculaire.*

Le pied se déroule sur le sol sous l'action musculaire du triceps sural et du long fléchisseur propre du gros orteil qui « termine » le pas par *un appui antéro-interne.*

Les articulations médio-tarsienne, de Lisfranc et métatarso-phalangienne du gros orteil sont très sollicitées.

La flexion du GENOU augmente progressivement. Au début, c'est le poids du corps qui l'intensifie puis elle se poursuit sous charge pour le passage du membre oscillant au temps suivant.

LA HANCHE est en extension d'environ 15° ; l'angle diminue progressivement.

Deux pivots ligamentaires sont donc sollicités :
— Le pivot ligamentaire astragalo-calcanéen interosseux (ligament en haie) au moment de l'attaque du sol par le talon.
— Les ligaments croisés du genou au moment du verrouillage. (Ce n'est pas seulement une atteinte méniscale qui peut gêner le verrouillage.)
L'intégrité physiologique des ligaments croisés, pivots ligamentaires du genou, est donc nécessaire.

Les mouvements du tronc

Ils consistent essentiellement en mouvements de torsion et d'inclinaison :
— la rotation opposée des ceintures (plan horizontal),
— l'inclinaison inverse des ceintures (plan frontal),
— l'inclinaison antéro-postérieure du tronc (plan sagittal).

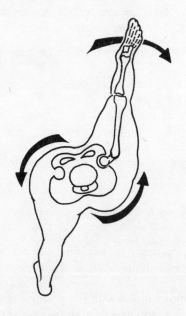 

Attaque du pas   Fin du pas
« Rabat » du pied avant droit en   L'axe du pied d'appui porteur « diver-
abduction.   ge » encore de l'axe de progression.

FIG. 11. — *Pas pelvien : utilisation dynamique de la triangulation du membre inférieur.* Les adaptations du bassin « suivent » l'appui du pied au sol.

La rotation opposée des ceintures. — Le bassin et les épaules tournent en sens inverse au cours de la marche. Cette simple observation entraîne toute une série de modifications d'adaptation. Nous allons essayer de les décrire.

LE PAS PELVIEN DE DUCROQUET (fig. 11). — Le bassin pivote globalement dans son ensemble autour d'un axe vertical virtuel à chaque changement de pas. Les membres inférieurs commandent cette action maintenant classique et appelée le *pas pelvien* par Ducroquet (1964).

Le pas pelvien entraîne des mouvements de rotation importants du bassin par rapport au fémur fixe au niveau de l'articulation coxo-fémorale.

Cette rotation permet l'allongement du pas et représente un facteur d'économie du déplacement du centre de gravité (Saunders, Inman, Eberhardt, 1953).

Lorsque le membre inférieur se trouve en avant, tout l'hémi-bassin homo-latéral l'est également. Le bassin peut donc être considéré en rotation interne par rapport au fémur, ou bien le fémur en rotation externe par rapport au bassin. Lorsque le membre inférieur se trouve en arrière, tout l'hémibassin homo-latéral l'est également. Le bassin peut donc être considéré en rotation externe par rapport au fémur, ou bien le fémur en rotation interne par rapport au bassin.

LE « VRILLAGE ILIAQUE »* (fig. 12 *a*). — Le vrillage représente la rotation inverse des iliaques autour de leur axe transversal (3ᵉ axe de Mitchell) imposée par le pas pelvien.

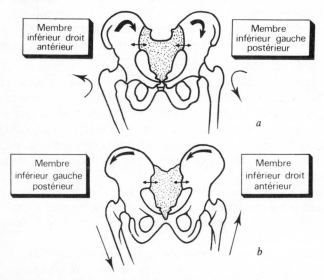

FIG. 12. — *Vrillage de la ceinture pelvienne.* Le vrillage induit la fausse jambe courte. *a*) vue antérieure ; *b*) vue postérieure.

---

* « Vrillage » décrit par Alain Ceccaldi.

Son amplitude maximum se situe exactement à la fin de chaque double appui. L'iliaque du membre inférieur postérieur « s'antériorise ». L'articulation de la symphyse pubienne subit un effet de vissage.

Le vrillage réalise la fausse inégalité des membres inférieurs. Cette inégalité doit être considérée comme physiologique puisqu'elle représente un *état transitoire alternatif* pendant le cycle de la marche.

La jambe est courte du côté du membre inférieur antérieur et longue du côté du membre inférieur postérieur (fig. 12 *b*).

LE MOUVEMENT RELATIF DU SACRUM. — Sa situation entre les deux iliaques l'oblige à subir la rotation globale du bassin du pas pelvien. Dans notre premier double appui sa face antérieure regarde vers la gauche, tandis que, pendant le deuxième double appui sa face antérieure regarde vers la droite.

Les systèmes capsulo-ligamentaires sacro-iliaques sont relativement peu sollicités dans des conditions normales de marche en terrain plat. Ils subissent des forces inverses, symétriques de « vissage-dévissage ».

Le pelvis tourne dans son ensemble sans provoquer un mouvement spécifique du sacrum.

LA CONTRE-ROTATION DE LA CEINTURE SCAPULAIRE (fig. 13 *a*). — Pendant chaque phase de double appui, la ceinture scapulaire réalise une contre-rotation.

Dans le premier double appui (antérieur droit/postérieur gauche) le bras gauche est antérieur tandis que le droit est postérieur.

La contre-rotation de la ceinture scapulaire sollicite l'intégrité physiologique des pivots ligamentaires sterno-costo-claviculaires. Cette articulation représente le *seul point fixe articulaire* de la chaîne cinétique qui compose la ceinture scapulaire. Les phases de double appui imposent un *vrillage des hémiceintures scapulaires droite et gauche* (fig. 13 *b*).

L'ADAPTATION DU RACHIS AUX ROTATIONS OPPOSÉES DES CEINTURES (fig. 14). — Les rotations opposées des ceintures obligent la colonne vertébrale à subir deux mouvements rotatoires de sens inverse. Piera et Grossiord donnent dans l'*E.M.C.*, les maximums des mouvements de rotation au niveau de L 5 et D 1. Ils situent le point de transition où les rotations s'annulent vers D 7. Le rachis comporte des courbes antéro-postérieures qui modifient la mécanique de ces rotations.

Nous pensons que L 5, complètement intégrée dans le système ligamentaire ilio-lombo-sacré, est relativement stable et suit le mouvement global du bassin dans le pas pelvien. L 3, 3e vertèbre lombaire, nous semble plus indiquée pour subir l'adaptation rotatoire.

La vertèbre D 1 est une charnière entre la colonne cervicale mobile et la colonne dorsale rigide. Elle subit peu, à notre avis, les actions des membres supérieurs.

Le vrillage induit par les mouvements des membres supérieurs aux hémiceintures scapulaires se répercute au niveau de la quatrième vertèbre dorsale, D 4. Celle-ci représente le sommet de la triangulation cervicale d'une part et la zone

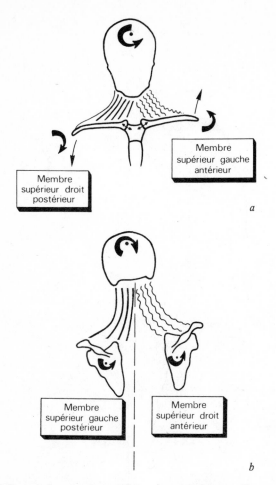

FIG. 13. — *Vrillage de la ceinture scapulaire.* *a*) vue antérieure ; *b*) vue postérieure.

d'insertion musculaire majeure des fixateurs des omoplates. Cette zone subit donc les actions-réactions musculaires imposées par le « vrillage scapulaire ».

Enfin, la zone transitionnelle où s'inverse les rotations induites par la rotation des ceintures se situerait vers la 9e vertèbre dorsale, D 9.

Il est évident que *l'intégrité physiologique des courbes antéro-postérieures du rachis conditionne cette mécanique.* De très nombreuses variations, nous en sommes conscients, peuvent affecter plus ou moins sensiblement notre démontage physiologique de la marche.

INFLUENCE DES ROTATIONS OPPOSÉES SUR LA CAGE THORACIQUE. — L'importance de l'incidence du balancement des bras retentit directement sur la cage thoracique.

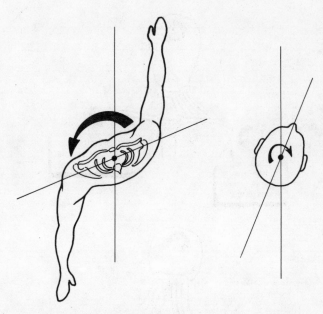

Rotation céphalique, côté membre supérieur antérieur.

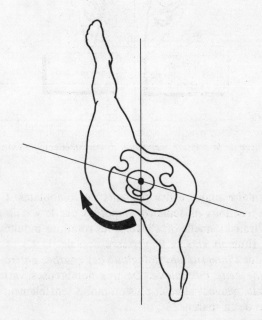

Rotation inverse ceinture scapulaire/ceinture pelvienne.

FIG. 14. — *Plan horizontal.*

Le balancement antérieur du bras entraîne la clavicule en position de rotation postérieure ainsi qu'une ouverture du gril costal homolatéral plaçant les côtes en position d'inspiration.

Le balancement postérieur du bras entraîne la clavicule en position de rotation antérieure ainsi qu'une fermeture du gril costal homolatéral plaçant les côtes en position d'expiration.

L'inclinaison inverse des ceintures. — Les ceintures s'inclinent en sens inverse. Cette inclinaison est à peine sensible en terrain plat car les abducteurs réalisent parfaitement l'équilibre transversal du bassin.

En pathologie, la classique paralysie du moyen fessier l'illustre parfaitement par la boiterie de Trendelenburg. A un moindre niveau, la marche sur talons hauts qui oblige une recherche plus précise du placement du centre de gravité à l'intérieur du polygone de sustentation du pas portant le démontre également.

Toutefois, cette inclinaison débute au début de la phase d'appui unilatéral. Nous la décrirons donc avec le chapitre suivant.

L'inclinaison antéro-postérieure du tronc. — Piera et Grossiord annoncent que les mouvements d'inclinaisons antéro-postérieures n'excèdent pas 5° pour les allures ordinaires. Elles sont donc insensibles à un œil non exercé.

La pathologie nous donne quelques exemples extrêmes qui permettent de mieux l'entrevoir. La fameuse boiterie dite de la salutation illustre ces inclinaisons. Le tronc s'incline légèrement vers l'avant au moment de la « poussée-élan » et légèrement vers l'arrière au moment de l'« attaque » du talon sur le sol.

Ainsi, la phase de double appui au niveau du tronc sollicite surtout les *pivots sterno-costo-claviculaires*. Le pivot ilio-lombo-sacré, nous l'avons vu, n'est pas particulièrement mis en cause dans le double appui. *La symphyse pubienne adopte le vrillage du pelvis mais ce n'est pas un pivot.* Le tronc, dans le double appui, subit donc un vrillage des ceintures pelvienne et scapulaire.

Les mouvements des membres supérieurs

Le déplacement des membres supérieurs représente l'homologue du pas pelvien. Ils se meuvent en sens inverse des mouvements des membres inférieurs. Leur déplacement est au maximum au moment du double appui.

La projection antérieure du bras s'exécute légèrement fléchie et portée en dedans. Le bras se trouve en rotation externe. La projection postérieure du bras s'exécute pratiquement en extension. Le bras se trouve en rotation interne.

Aucun pivot ne se situe au niveau des membres supérieurs. Nous laissons volontairement de côté les actions musculaires qui seront reprises dans une étude ultérieure.

Les mouvements de la tête et du cou

Le sommet de la tête décrit au cours de la marche une ligne sinusoïdale dont les sommets correspondent au passage à la verticale de la jambe portante.

Au moment du double appui la tête se trouve en position basse. La triangulation du cou adapte directement par l'intermédiaire du pivot D 4 le vrillage du tronc. La tête s'oriente donc à la fin de chaque double appui vers le membre supérieur antérieur. L'ajustement subtil de cette orientation est réglé par le cardan occiput-atlas-axis en supplément de la nécessaire régulation de l'activité tonique posturale.

Ainsi, le complexe occiput-atlas-axis adapte le pivot D 4 à la fin de chaque double appui.

Conclusion sur le double appui

La phase du double appui sollicite les pivots suivants :

Ligamentaires :
— astragalo-calcanéen-interosseux,
— les ligaments croisés du genou,
— le système ilio-lombo-sacré,
— les ligaments sterno-claviculaires.

Vertébraux :
— L 3,
— D 3 - D 4 - R 4,
— C 2.

Cette phase peut se résumer par un seul mot : **le vrillage**.

Ce double appui réalise la mise en tension des systèmes musculo-ligamentaires qui permet à leur visco-élasticité et à l'inertie une grande économie.

LE PREMIER APPUI UNILATÉRAL
(membre inférieur droit portant/membre inférieur gauche oscillant)

Les mouvements des membres inférieurs

Conventionnellement, nous décrirons d'abord le mouvement du membre inférieur droit portant, puis celui du membre inférieur gauche oscillant.

Nous arrêterons artificiellement le premier appui unilatéral en trois temps instantanés qui nous sont dictés par la position du membre oscillant par rapport au membre portant.

— Le demi-pas postérieur : la jambe oscillante a quitté le sol mais se trouve en arrière de la jambe portante.

— Le passage à la verticale : la jambe oscillante « croise » la jambe portante.

— Le demi-pas antérieur : la jambe oscillante se trouve en avant de la jambe portante mais n'a pas encore réalisé son appui.

Le demi-pas postérieur

Le membre inférieur droit portant. — Il doit assurer un triple rôle :
— le soutien du poids du corps,
— l'équilibre de l'homme debout,
— la progression, finalité numéro un de la marche.

LE PIED se trouve à plat sur le sol. La jambe qui était verticale à la fin du double appui commence à s'incliner légèrement en avant. Cela entraîne la fermeture de l'angle pied-jambe. Le centre de gravité se déplace du centre du polygone de sustentation de la phase de double appui vers le centre du nouveau polygone de sustentation représenté par le pied portant. Ce déplacement explique les oscillations latérales de la marche et dessine dans le plan horizontal une sinusoïde dont les sommets correspondent à la verticale de chaque pied portant. Les actions musculaires sont des actions de stabilisation sous l'influence principale du muscle triceps sural. Le soléaire, chef monoarticulaire particulièrement actif est associé en synergie avec le court fléchisseur plantaire. Les stabilisateurs latéraux de la cheville (les muscles jambiers et péroniers latéraux) assurent l'équilibre latéral du pied.

LE GENOU se redresse progressivement de sa position fléchie imposée par le poids du corps. Le quadriceps prend en charge cette action, plus particulièrement par deux de ses chefs (le crural et le vaste externe). La stabilisation est assurée par le triceps sural qui renvoie le genou en arrière. *Les ligaments croisés, pivots du genou, sont alors indispensables* à une bonne stabilisation.

LA HANCHE s'étend sans parvenir à la rectitude. Les abducteurs (moyen fessier et tenseur du fascia lata) assurent l'équilibre latéral du bassin. Une légère inclinaison latérale du côté opposé au membre portant existe au début de l'appui unilatéral. Le petit fessier commence son action de rotation externe du bassin par rapport au genou relativement fixe.

Le membre inférieur gauche oscillant. — Son but consiste à se raccourcir pour ne pas heurter le sol. Ce mouvement est obtenu par une triple flexion, hanche-genou-pied.

LE PIED se met en légère flexion dorsale avec une extension associée des orteils sous l'action musculaire des releveurs du pied.

LE GENOU réalise une flexion progressive due aux muscles ischio-jambiers. Le biceps crural se contracte plus spécifiquement. La flexion atteint son maximum (7° environ) juste avant le passage à la verticale.

LA HANCHE se fléchit sous l'action du psoas iliaque, aidé du chef polyarticulaire du quadriceps (le droit antérieur).

Le passage à la verticale

Le membre inférieur droit portant. — Ce temps est un instantané qui correspond au moment où la verticale passant par le centre de gravité du corps croise l'articulation tibio-tarsienne du membre portant.

Ce temps correspond à la classique relation ostéopathique astragale portant - atlas controlatéral.

LE PIED est bien à plat sur le sol.

LE GENOU est légèrement fléchi.

LA HANCHE est en légère flexion.

Le travail des abducteurs, qui réalisent l'équilibre transversal du bassin, atteint son maximum.

Le membre inférieur gauche oscillant. — Il se trouve en position de raccourcissement complet.

LE PIED continue sa flexion dorsale.

LE GENOU diminue sa flexion. Les muscles de la patte d'oie commencent à orienter le temps suivant, aidés des abducteurs.

LA HANCHE est en flexion d'environ 35° sous l'influence des muscles psoas iliaque, de la patte d'oie et du droit antérieur. Le passage de la jambe ramène l'équilibre transversal à l'horizontale sans toutefois la dépasser, dans des conditions de marche normale sur terrain plat. Les muscles du tronc, carré des lombes et spinaux lombaires homolatéraux entrent en action.

Le demi-pas antérieur

Lè membre inférieur droit portant :

LA JAMBE se fléchit sur l'astragale jusqu'à 15° de flexion dorsale environ. Sous l'influence du triceps sural le talon décolle du sol. Les péroniers latéraux contrebalancent la composante varisante du triceps et préparent la poussée de l'appui antéro-interne.

LE GENOU se place en extension complète jusqu'au décollage du talon pour se fléchir après la poussée finale.

LA HANCHE se trouve à son moment d'extension presque complète.

Le membre inférieur gauche oscillant :

LE PIED se maintient en légère flexion dorsale avec une légère supination. Les muscles releveurs du pied maintiennent cette action.

LE GENOU continue son extension jusqu'à l'attaque du pied au sol. Deux facteurs nous semblent particulièrement importants à ce moment :

— Les ischio-jambiers freinent l'extension qui n'atteint jamais sa complète amplitude.

— L'orientation de la jambe sous l'impulsion des abducteurs et des muscles de la patte d'oie prend toute son importance.

LA HANCHE reste en flexion sous l'action des fléchisseurs de la hanche.

> Nous insistons tout particulièrement sur les actions musculaires globales suivantes :
> — L'orientation du membre inférieur juste avant l'attaque du talon sur le sol se réalise en *rotation externe*.
> — L'orientation du membre inférieur juste avant la « poussée-élan » du sol se réalise en *rotation interne*.

Les mouvements du tronc (fig. 15)

Ils consistent en une *adaptation d'attitude scoliotique transitoire* de l'ensemble de l'axe rachidien qui est la conséquence d'une double cause :
— l'inclinaison latérale au début et à la fin de l'appui unilatéral,
— le passage du membre oscillant à la verticale du membre portant.

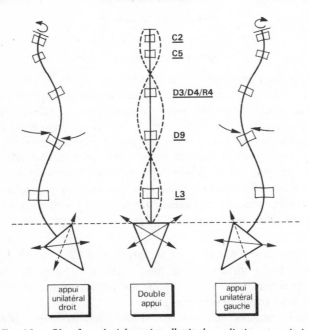

FIG. 15. — *Plan frontal. Adaptation d'attitude scoliotique transitoire.*

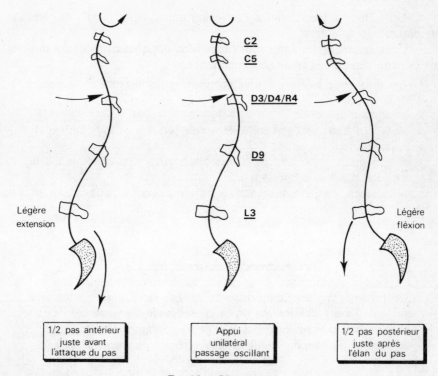

FIG. 16. — *Plan sagittal.*

Le demi-pas postérieur (fig. 16)

L'inclinaison latérale imposée par l'appui unilatéral induit, au début du demi-pas postérieur, une *adaptation d'attitude scoliotique transitoire lombaire gauche, dorsale droite et cervicale gauche parfaitement équilibrée et compensée.*

La place des vertèbres-pivots, imposée par leur situation anatomique dans les différentes courbes antéro-postérieures du rachis oblige les vertèbres-pivots à se mouvoir physiologiquement dans le respect des lois régissant leur mécanique pour adapter cette attitude scoliotique momentanée. La marche sur terrain plat n'imposant aucune modification importante des courbes physiologiques de la colonne vertébrale, permet l'application des lois de Fryette en position neutre.

Au début du demi-pas postérieur, la position des vertèbres pivots est la suivante :

LE PIVOT ILIO-LOMBO-SACRÉ GAUCHE représente l'axe anatomique réel de l'axe oblique gauche virtuel du sacrum décrit par Mitchell. Il permet le mouvement du sacrum sur un axe oblique qui débute lorsque le membre oscillant commence sa triple flexion (fig. 17).

Dans le cas du premier appui unilatéral (demi-pas postérieur) le mouvement sur axe oblique utilise le pivot ilio-lombo-sacré gauche, c'est-à-dire l'axe gauche

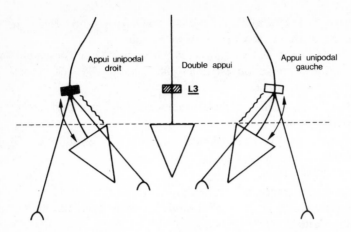

FIG. 17. — *Adaptation du pivot ilio-lombo-sacré.* Plan frontal.

de Mitchell, car l'axe droit est « bloqué » par l'action gravitaire.

La 5ᵉ vertèbre lombaire se trouve en latéro-flexion droite - rotation gauche imposée par l'inclinaison latérale du bassin (fig. 18).

LE PIVOT L 3, 3ᵉ vertèbre lombaire, se trouve en position de clef de voûte de l'adaptation d'attitude scoliotique lombaire gauche. Ce pivot adapte le groupe d'adaptation dû à l'inclinaison latérale.

LE PIVOT D 9, 9ᵉ vertèbre dorsale, se trouve légèrement au-dessus du croisement de courbe de l'adaptation d'attitude scoliotique dorsale droite.

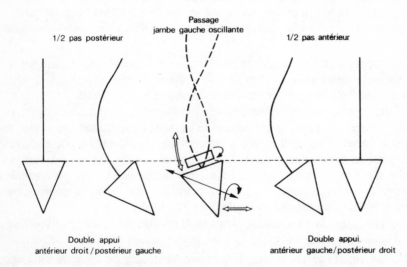

FIG. 18. — *Adaptation du pivot ilio-lombo-sacré.* Plan frontal.

LE PIVOT D 4, 4e vertèbre dorsale, se trouve en position de clef de voûte de l'adaptation d'attitude scoliotique dorsale droite.

Les pivots D 9 et D 4 sont protégés par la rigidité de l'ensemble du thorax. Leur mobilité d'adaptation est donc plus discrète. Ils sont en latéro-flexion gauche - rotation droite.

LA 4e CÔTE R 4 (*rib* = côte) a tendance à subir une position d'inspiration droite et d'expiration gauche.

LE PIVOT C 5, 5e vertèbre cervicale, se trouve en position de clef de voûte d'adaptation d'attitude scoliotique cervicale gauche. Il est en latéro-flexion droite - rotation droite.

LE COMPLEXE OCCIPUT-ATLAS-AXIS

— Le pivot C 2, axis, 2e vertèbre cervicale, est en légère flexion latérale droite - rotation droite.

— L'atlas, C 1, première vertèbre cervicale, réalise une contre-rotation gauche d'adaptation de la rotation de l'axis.

— L'occiput, dernier élément du « cardan », adapte l'inclinaison par une latéro-flexion gauche - rotation droite.

Le complexe occiput-atlas-axis réalise l'adaptation finale pour maintenir l'horizontalité du regard, constante physiologique de la station debout. La régulation tonique qui sous-tend cette adaptation sera développée dans un chapitre suivant.

Le passage à la verticale

Le passage du membre oscillant rattrape l'inclinaison latérale induite par l'appui unilatéral au début du demi-pas postérieur. Ce moment est capital pour comprendre la séquence adaptative qui en résulte pour tout l'axe rachidien. Au moment du passage à la verticale de la jambe oscillante, les pivots sont dans les positions suivantes :

LE PIVOT ILIO-LOMBO-SACRÉ GAUCHE permet une torsion antérieure du sacrum (mouvement du sacrum sur axe oblique). Si nous utilisons la terminologie de Mitchell, il s'agit de la torsion gauche sur axe gauche.

Cette torsion est provoquée par deux facteurs :

a) L'action musculaire qui permet le passage de la jambe oscillante. Nous pensons comme Mitchell qu'elle se réalise sous l'action puissante des muscles carré des lombes, spinaux lombaires gauche et du muscle pyramidal du bassin droit. *Ce dernier muscle est le seul muscle pelvitrochantérien qui possède une insertion sur le sacrum. Il réalise un couple moteur de la torsion antérieure* (carré des lombes gauche, pyramidal du bassin droit).

b) Le retour de l'adaptation de l'attitude scoliotique créée par l'inclinaison latérale aide considérablement la torsion du sacrum sur l'axe oblique.

LA 5e VERTÈBRE LOMBAIRE, L 5, forme un couple de force de sens opposé avec le sacrum, ce qui justifie l'importance du pivot ilio-lombo-sacré.

Le passage de la jambe oscillante permet le rattrapage du centre de gravité sur la jambe d'appui. Ainsi, la contre-rotation de L 5 sur la torsion du sacrum est donc aidée par l'utilisation du poids du tronc (voir chapitre 3).

TOUS LES AUTRES PIVOTS, L 3, D 9, D 3 - D 4 - R 4, C 5 et le complexe occiput-atlas-axis reviennent presque complètement à leur position du double appui précédent.

Le demi-pas antérieur

Après le passage de la jambe oscillante, l'inclinaison latérale du bassin due à l'appui unilatéral se réalise à nouveau jusqu'au moment de l'attaque du talon sur le sol qui permet le deuxième double appui.

A ce moment, les positions des pivots sont les suivantes :
— Le pivot ilio-lombo-sacré défait sa torsion.
— Tous les autres pivots reprennent la position du début du demi-pas postérieur.

L'adaptation d'attitude scoliotique à nouveau créée se redéfait au moment de l'attaque du sol par le talon qui supprime l'inclinaison latérale créée par l'appui unilatéral (fig. 19).

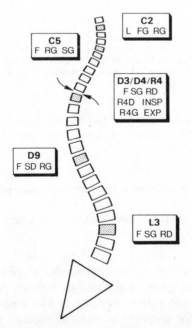

FIG. 19.— *Adaptation des pivots vertébraux.*
Appui unipodal gauche. (Il ne s'agit pas de position lésionnelle, mais de position physiologique transitoire).

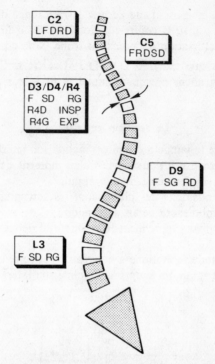

FIG. 20. — *Adaptation des pivots vertébraux.*
Appui unipodal droit. (Il ne s'agit pas de position lésionnelle, mais de position physiologique transitoire).

Ainsi, les trois phases de l'appui unilatéral sollicitent les pivots vertébraux en les obligeant à adopter l'attitude scoliotique créée par l'inclinaison latérale du bassin (fig. 20).

Les mouvements des membres supérieurs

Pendant le premier appui unilatéral les bras inversent le mouvement.

Le demi-pas postérieur :

— Le bras droit revient de sa position la plus postérieure.
— La clavicule droite quitte sa position de rotation antérieure.
— Le bras gauche revient de sa position la plus antérieure.
— La clavicule gauche quitte sa position de rotation postérieure.

Le passage à l'aplomb du tronc :

— Les bras droit et gauche se trouvent à l'aplomb du tronc.

— Les clavicules sont en position neutre.
— Les pivots sterno-claviculaires sont relâchés.

Le demi-pas antérieur :

— Le bras droit se projette vers sa position antérieure.
— La clavicule droite commence sa rotation postérieure.
— Le bras gauche se projette vers sa position postérieure.
— La clavicule gauche commence sa rotation antérieure.

Nous insistons tout particulièrement sur les actions musculaires globales suivantes :
— Lors de la projection antérieur du bras, il se trouve en rotation externe.
— Lors de la projection postérieure du bras, il se trouve en rotation interne.

Les mouvements de la tête et du cou

Nous avons décrit la position des pivots cervicaux (p. 57). Au moment de l'attaque du sol par le talon, le segment tête et cou exécute une rotation vers le membre supérieur antériorisé.

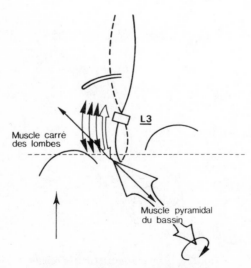

FIG. 21. — *Détail de la torsion antérieure G/G.* Plan frontal.

Conclusion sur l'appui unilatéral

La phase de l'appui unilatéral sollicite tous les pivots vertébraux :
— ilio-lombo-sacré,
— L 3,
— D 9,
— D 3 - D 4 - R 4,
— C 5,
— C 2 et tout le complexe occiput-atlas-axis.

Cette phase peut se résumer par l'action du sacrum sur axe oblique qui conditionne toute l'adaptation au-dessus de l'axe rachidien. *La torsion sacrée mobilise l'ensemble de l'axe rachidien* (fig. 21).

CONCLUSION DU CHAPITRE

De très nombreux mécanismes se combinent pour rendre la marche harmonieuse et facile.

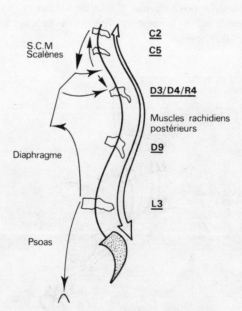

Fig. 22. — *Moyens musculaires d'équilibre sagittal des triangles supérieurs et inférieurs.*

L'aspect ostéopathique des pivots ligamentaires et vertébraux pendant la marche n'est pas une nouveauté. Nous avons simplement essayé de présenter la structure entière en mouvement dans un exercice quotidien de l'homme normal.

Nous insistons sur les faits, importants à nos yeux, dans le cadre de notre optique ostéopathique. Nous sommes toutefois conscients de n'avoir peut-être pas assez montré que tous les mouvements sont *physiologiques*. Ils sont le plus souvent très minimes et très difficiles à apprécier *de visu*.

Nous nous sommes limités aux mouvements ostéopathiques des pivots pendant la marche. Nous n'oublions pas qu'elle nécessite un système étendu de commande et de contrôle qui ne sont possibles qu'après l'acquisition de certains automatismes.

La visualisation des pivots ligamentaires et vertébraux en mouvement nous semble nécessaire à la compréhension des possibles lésions potentielles, aux thérapeutes que nous essayons d'être (fig. 22).

N.B. — Il importe de préciser que tout notre « démontage » est physiologique. Aucune appellation ponctuelle de la séquence de la marche ne doit en aucun cas être confondue avec un aspect lésionnel.

3

LES PIVOTS VERTÉBRAUX — LES PIVOTS LIGAMENTAIRES : LEUR IDENTITÉ DANS L'ÉQUILIBRE DE LA DÉAMBULATION HUMAINE

DÉFINITION « MÉCANIQUE » DU PIVOT

D'après le dictionnaire classique, le pivot est une pièce, soit métallique, soit en bois ou tout autre matière, sur laquelle tourne quelque chose. Ainsi, au niveau cervical, le cou, entité anatomique globale, est le pivot de la tête ; plus précisément à ce niveau, l'axis est pour nous le pivot du segment céphalique aidé en cela par le relai représenté par l'atlas.

Au niveau vertébral, nous constatons que les pivots sont installés naturellement dans un plan horizontal ou proche de l'horizontale. Cette situation leur permettra toutes les possibilités nécessaires au primordial mouvement de rotation. En effet, l'orientation des différentes surfaces articulaires permettant aux vertèbres les subtiles adaptations de lutte contre la pesanteur, nécessite l'utilisation de mouvements dans les plans frontal et sagittal, mais aussi et surtout dans le troisième plan orthogonal de l'espace : le plan horizontal.

L'équilibre dans lequel va évoluer chaque segment vertébral sollicité va être soumis à une coordination permanente afin d'adapter l'homme à sa position érigée et à son déplacement vectoriel.

Ainsi chaque vertèbre doit trouver un « support » sous-jacent pour réagir normalement aux lois gravitaires.

Si la base de la colonne est le pelvis, nous considérons le sacrum comme « suspendu » entre les iliaques. Ce dernier est donc le support mobile direct de l'ensemble de la colonne, chaque vertèbre reposant non moins directement sur celle qui lui est sous-jacente et lui sert de support. Intervient alors la fondamentale notion de **trépied vertébral**.

Chaque vertèbre — sauf l'atlas — possède trois supports indépendants : le disque intervertébral en avant et les deux facettes articulaires en arrière. Cela constitue un « trépied » supportant le poids sus-jacent et soumis aux lois de la physique qui gouvernent le trépied en tant qu'instrument de sustentation.

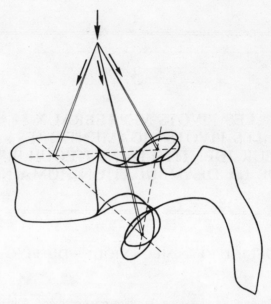

FIG. 23. — *Le trépied vertébral.*

C'est à partir de cette notion « trépied vertébral » que toute la « mécanique » vertébrale s'articule.

Nous allons en définir ses possibilités axiales mécaniques, les lois régissant son utilisation dans l'ergonomie vertébrale, l'aspect relationnel mécanique avec les vertèbres sus et sous-jacentes au trépied vertébral considéré (fig. 23).

LES 7 AXES DE MOBILITÉ DU TRÉPIED VERTÉBRAL

La physiologie mécanique de chaque vertèbre typique ne peut s'accomplir que suivant certains axes situés dans chacun des trois plans orthogonaux de l'espace : le plan horizontal, le plan sagittal, le plan frontal. La rigueur de l'orthogonalité n'est certes pas à prendre à la lettre compte tenu de l'orientation réciproque des surfaces articulaires jamais exactement dans des plans parallèles ou perpendiculaires les uns par rapport aux autres. *C'est la recherche permanente d'intégration physiologique qui va rejoindre les lois mécaniques.*

Sept axes sont à considérer. Nous en avons 4 autour desquels le mouvement va se produire dans le plan horizontal ; 3 verticaux dans les plans frontal et sagittal.

Dans le plan horizontal (fig. 24). — Deux axes se croisent à angle droit :

— le premier, antéro-postérieur, passant par le centre du nucléus pulposus du disque intervertébral et l'apophyse épineuse,

— le second, transversal, passant par les deux facettes articulaires postérieures.

Les deux autres se croisent au centre du disque intervertébral en partant des deux facettes articulaires postérieures.

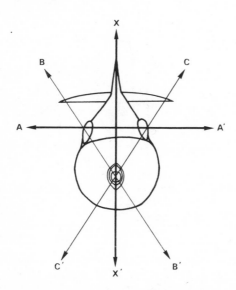

xx′ et AA′ : Axes orthogonaux horizontaux passant par l'apophyse épineuse et le centre du corps vertébral pour le premier, les deux facettes articulaires postérieures pour le second.
BB′ et CC′ : Axes croisés joignant le centre du corps vertébral à chacune des facettes articulaires postérieures.

FIG. 24. — *Les axes horizontaux.*

Dans les plans frontal et sagittal (axes verticaux) nous en avons (fig. 25) :

— 1 passant par le centre du nucléus pulposus du disque intervertébral,

— 2 passant par chaque facette articulaire postérieure.

Le jeu mécanique de la vertèbre en mouvement va utiliser ses axes en fonction de ses appuis sur un, deux ou trois des pieds du trépied vertébral.

La pesanteur étant maîtresse du jeu, tout va dépendre de la position dans l'espace de la vertèbre par rapport à la base et de l'utilisation de chacun des pieds du trépied et de chacun des axes concernés par le mouvement.

Les mouvements de flexion, extension et side-bending (flexion latérale) s'effectuent sur les axes horizontaux ; les mouvements de rotation s'effectuent autour des axes verticaux.

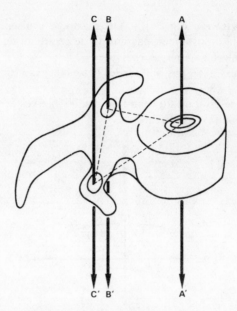

AA' : Axe vertical passant par le centre du corps vertébral.
BB' et CC' : Axes verticaux passant par les facettes articulaires postérieures.

FIG. 25. — *Les axes verticaux.*

Les mouvements de la colonne sont physiologiquement en accord avec les lois du trépied en ce qui concerne sa flexibilité.

LES LOIS MÉCANIQUES DU TRÉPIED VERTÉBRAL

Quatre lois régissent l'utilisation mécanique du trépied.
— *1ere loi du trépied* : Le trépied permet stabilité et flexibilité du mouvement.
— *2e loi du trépied* : Si les trois pieds du trépied fonctionnent « en charge », le poids en surcharge superposée ne peut être déplacé qu'avec difficulté par rapport à sa base.
— *3e loi du trépied* : La loi précédente est vraie quand la surcharge superposée se déplace par rapport à la base, lorsqu'il n'y a que deux pieds du trépied en charge.
— *4e loi du trépied* : Quand la surcharge superposée n'est supportée que par un seul pied du trépied, on peut la bouger relativement facilement par rapport à sa base.

Dans notre étude des pivots, nous utiliserons la mécanique régie par les lois que nous venons d'énoncer, en rapport avec les possibilités de mobilité autour des axes précédemment décrits.

Chaque trépied vertébral sera étudié en fonction de la vertèbre sus-jacente et de la vertèbre sous-jacente. Nous verrons ainsi les différents et principaux « *mouvements réciproques* » ; *les adaptations mécaniques* réciproques en rapport avec la physiologie articulaire ; *les compensations mécaniques*, qui seront pour nous la quasi-certitude d'une pathologie.

De plus, après avoir étudié les « *désadaptations* » mécaniques créées par chacun des pivots vertébraux et de nos pivots ligamentaires, nous essaierons d'en répertorier les perturbations :

— au niveau des arches vertébrales,

— au niveau des arcs vertébraux,

— au niveau des différentes courbures cervicale, dorsale, lombaire, sacrée,

— au niveau de la répartition des forces régies par la pesanteur selon les lignes antéro-postérieures et postéro-antérieures (fig. 26),

— au niveau de l'adaptation à la ligne de gravité.

Ce sont les travaux de J. Wernham qui nous permettront de « suivre » ces « désadaptations » en fonction de l'utilisation physiologique ou pathologique des pivots par le corps humain.

Il nous importe alors de reprendre les schémas de Wernham pour. mieux comprendre les contraintes subies par l'ensemble structurel de l'individu et expliquer ainsi plus complètement les atteintes à sa physiologie propre.

Reprenons l'usage par la vertèbre en mouvement des axes définis précédemment dans le plan horizontal et dans les plans verticaux. Il importe en effet d'expliquer les mécanismes lésionnels.

C'est autour des 4 axes horizontaux que peuvent se créer des positions de lésions dites de 1er degré suivant la mécanique physiologique articulaire vertébrale classique. Ces lésions pourront alors se corriger très facilement en suivant cette même physiologie articulaire.

Par contre, la « désadaptation » créée par une mauvaise utilisation des axes verticaux va engendrer *la* vraie *lésion*, permanente, qu'il sera nécessaire de corriger pour retrouver une physiologie articulaire normale. C'est cette normalisation correcte qui définit l'art ostéopathique.

Selon les *axes horizontaux*, les mouvements de la vertèbre intéressée seront :

— les inclinaisons antéro-postérieures ou position de flexion et position d'extension,

— les inclinaisons latérales ou side-bending associées ou non, selon les lois de Fryette, à une rotation droite ou gauche.

C'est toujours par le mouvement de side-bending que débute la séquence lésionnelle car, avec seulement 2 pieds du trépied en appui, les autres mouvements restent possibles.

C'est alors qu'entre en jeu l'utilisation des *axes verticaux*. La position, *non stable*, de la vertèbre « repose » seulement sur 1 ou 2 pieds du trépied vertébral ;

LIGNE A.P
ATLAS–COCCYX

LIGNE P.A
ATLAS-COXO-FÉMORALES

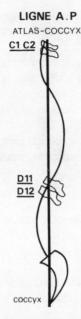

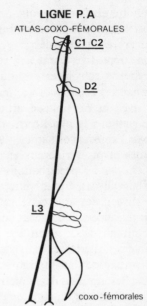

Les mouvements de side-bending et de rotation du tronc ont pour base la ligne A.P, s'appuyant sur les 11ᵉ et 12ᵉ vertèbres dorsales.

11ᵉ et 12ᵉ vertèbres dorsales sont le point de résistance mécanique le plus important contre l'altération des arcs ou courbures vertébrales.

La ligne P.A maintient l'intégrité de la tension du cou et renforce la ligne de soutien abdomino-pelvienne, en dirigeant les tensions du centre de gravité du corps (L 2-L 3) vers les têtes fémorales.

FIG. 26.

il y a « *dislocation* » d'1 ou 2 axes verticaux et la lésion s'installe. Le phénomène de défense physiologique d'adaptation de cette condition néfaste au bon fonctionnement du trépied vertébral va entrer en jeu.

Si la dislocation des axes verticaux est associée à l'utilisation intempestive des axes horizontaux, c'est alors un phénomène de compensation sus et sous-jacent qui va s'installer, et nous nous trouvons devant une « *condition pathologique* », *lésion* qu'il faudra corriger en recherchant le meilleur mécanisme correcteur possible : *l'ajustement vertébral*.

Deux cas particuliers doivent être évoqués : occiput - C 1 et sacrum.

— L'atlas et l'occiput sont aussi soumis aux lois du trépied mais *le trépied est inversé* :

— 2 pieds antérieurs, articulaires

— 1 pied postérieur : le ligament cervical postérieur.

Les corrections devront donc suivre une « *démarche inversée* ». C'est la bonne utilisation du cardan cervical supérieur.

— Le sacrum suit les mêmes lois que les autres segments vertébraux. S'il subit un mouvement de side-bending, il aura tendance à effectuer une rotation du côté opposé (axes de Mitchell).

Le pivot ligamentaire lombo-ilio-sacré va alors devenir le garant d'une bonne utilisation mécanique du sacrum.

Notre étude des *désadaptations mécaniques* concernant chacun des pivots vertébraux et ligamentaires en fonction des vertèbres sus et sous-jacentes sera analysée pour chacun d'entre eux.

Nous pouvons par contre, comme précédemment annoncé, décrire les perturbations que leurs conditions pathologiques mécaniques créent.

Au niveau des courbures vertébrales

Il faut tout d'abord rappeler qu'un arc est un ensemble flexible sous-tendu par une corde qui, selon sa tension, maintient au flexible une courbure concave de son côté. Les quatre courbures vertébrales cervicale, dorsale, lombaire et sacrée peuvent ainsi être assimilées à des arcs.

On dénombre 4 courbures faisant office d'arcs :
— les courbures antérieures dorsales et sacrées (2),
— les courbures postérieures cervicales et lombaires (2).

Les premières sont rigides ou pseudo-rigides et sont des courbures primaires ; les secondes, plus souples sont des courbures secondaires.

Il existe ainsi une démultiplication en 4 petites colonnes de l'ensemble des transmissions des chocs et des contraintes.

Mécaniquement l'équilibre intérieur, dans chacune des courbures, dépend de l'action fonctionnelle de chacune des autres courbes (surtout au point de vue viscéral). Ceci montre toute l'importance d'un éventuel traitement spécifique. *Le traitement ostéopathique est, certes, un tout, et la colonne doit être traitée dans son ensemble ; mais le choix d'une action vertébrale thérapeutique spécifique doit être effectué après la meilleure normalisation possible de tout l'ensemble mécanique.*

Le rôle des pivots dans chaque courbure va donc être primordial.

Dans la courbure cervicale, le pivot C 2 commande le cardan occiput-C 1 - C 2 qui dirige *toutes* les adaptations possibles du segment céphalique aux diverses sollicitations intrinsèques et extrinsèques. L'horizontalité nécessaire du regard et l'orthogonalité des canaux semi-circulaires ne peuvent en effet être affectées sans dommage. Le pivot C 5 autorise le maximum de rotation. Il est extrêmement sollicité comme le prouvent les signes les plus précoces d'arthrose à son niveau.

Le pivot D 4 est un point de tension maximum (stress). Il doit être de ce fait considéré comme un « point fort » de la colonne vertébrale. C'est le centre de la « postériorité » de la colonne. Sur lui *s'appuient* les mouvements extrêmes de l'ensemble cervico-dorso-scapulaire.

Dans la courbure dorsale se situe aussi le pivot D 9 dont l'importance est considérable, tant au point de vue mécanique que viscéral. D 9 est le pivot des *2 arches fondamentales* C 7 - D 8 et D 10 - coccyx.

C'est un point de tension maximum *(stress)* et un centre vital très important (surrénales).

Le pivot L 3 situé **dans la courbure lombaire** est un point de compression maximum *(strain)*. Les contraintes subies par L 3 sont très importantes, d'autant plus que ses haubans musculaires sont presque inexistants. La colonne lombaire, flexible, subit les contraintes des deux blocs thoracique et pelvien, rigides. De plus, la masse viscérale abdominale, lourde et fluctuante dans son volume, augmente le plus souvent les tensions antérieures.

Il est pour nous évident, tant mécaniquement que structurellement, de considérer L 5 comme faisant partie de **la courbure sacrée**. C'est à ce niveau que nous plaçons le *pivot ilio-lombo-sacré*. Le jeu ligamentaire postérieur, garant de la valeur mécanique du pivot, permet la meilleure physiologie fonctionnelle demandée par l'organisme à ce niveau : *la « demande » de stabilité du bassin.*

Au niveau des arches vertébrales

Une arche demande mécaniquement deux points d'appui distaux et une clef de voûte soutenant l'ensemble en équilibre stable. C'est un montage mécanique rigide « de contrainte ».

La colonne vertébrale présente, par sa conformité de flexible articulé, 3 doubles arches successives de bas en haut :
— la double arche C 5 - D 4,
— la double arche D 5 - L 2,
— la double arche L 3 - coccyx.

Nous constatons que chacune d'entre elles présente, en points d'appui distaux, des pivots. Il est alors évident que leur rôle dans l'équilibre de chacune d'elles va être très important. Cet équilibre est acquis par l'alternance permanente des contrôles de tensions *(stress)* et de contraintes *(strain)* que subissent constamment ces arches.

Si la fonction du pivot est perturbée, la contrainte subie par la double arche va augmenter pour lui permettre d'assurer sa stabilité.

Au niveau des lignes de force A.P. et P.A. (fig. 27)

L'équilibre global de la colonne est un perpétuel *jeu de balance* entre la continuité des différents segments. Chaque courbure et chaque arche est donc interdépendante des autres tout en assurant sa propre dépendance à l'aide de chacun des pivots qui lui sont reconnus.

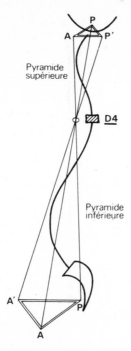

FIG. 27. — *Polygone des forces. Les lignes de force antéro-postérieure et postéro-antérieure.*
Les lignes A.P. et P.A. se croisent au niveau de D 4, formant les triangles supérieur (P.T.S.)
et inférieur. D4 est le point extrême de la tension descendante et de la torsion de la tête
(rotation et side-bending).

C'est surtout au niveau du croisement des lignes A.P. et P.A. que *le risque
mécanique* est important. C'est donc le pivot D 4 qui présente le plus de
contraintes alors que le pivot L 3 va subir les tensions maximales sur les lignes
de force postéro-antérieures (fig. 28).

Il faut à ce sujet rappeler que D 4 est le sommet des deux triangles de force
supérieur et inférieur, mais aussi le sommet des deux pyramides des forces, ou
polygones des forces, de la colonne vertébrale.

Au niveau de la ligne de gravité (fig. 29)

La ligne de gravité est elle-même dépendante des lignes de force A.P. et P.A.
Elle doit passer par le croisement-pivot D 4. Elle est verticale. Elle doit assurer
le meilleur équilibre de l'ensemble du corps en se focalisant au centre du
polygone de sustentation du corps.

Toutes les variations de position, aussi minimes soient-elles, de la position du
pivot D 4 vont modifier la juste répartition des différentes « masses » du corps
dans l'espace.

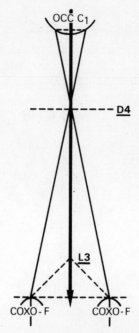

FIG. 28. — *Les deux triangles des forces.*

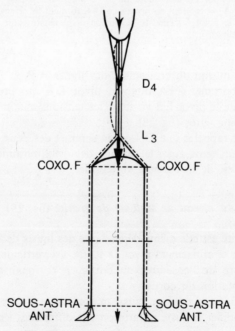

FIG. 29. — *Lignes d'action de la pesanteur.*

Les *attitudes corporelles* vont donc être étroitement dépendantes de la « valeur » de la ligne de gravité. Ceci nous permettra de « classer » l'individu en « type antérieur » ou « type postérieur » selon que la ligne de gravité de son corps passe plus en avant ou plus en arrière du centre de son polygone de sustentation lors de l'équilibre statique (Hall et Wernham).

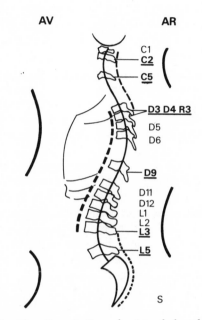

Fig. 30. — *Organisation mécanique de la colonne.*

▬▬▬▬ arcs ; courbures vertébrales

▬ ▬ ▬ ▬ arche vertébrale, zone para-sympathique.

■ ■ ■ ■ arche vertébrale, zone sympathique

LE PIVOT C 2 ET LES POSSIBILITÉS MÉCANIQUES DU SYSTÈME DE CARDAN Occ - C 1 - C 2

Les mouvements de chaque vertèbre sont définis dans les 3 plans orthogonaux : frontal, sagittal, horizontal. Les lois du trépied nous ont montré que 7 axes sont nécessaires pour assurer l'accomplissement correct de ces lois mécaniques en ce qui concerne les vertèbres.

Les mouvements de flexion, extension et side-bending autour des 4 axes horizontaux sont très limités en ce qui concerne C 2. Par contre, la présence de l'apophyse odontoïde ainsi que sa situation, autorisent à C 2 *le maximum de mouvements de rotation.* Sa structure par rapport à l'appareil fonctionnel occiput-atlas-axis (cardan mécanique de la charnière cervico-occipitale) nous permet de l'assimiler de très près à la définition même du pivot (voir plus haut).

L'axis est la « clef du cou », le garant de l'utilisation de la *« demande de mobilité »* du segment céphalique. Il est le transmetteur numéro un du mouvement autorisé par le cardan occiput-atlas-axis.

Le cardan cervico-occipital permet au segment céphalique, sphère irrégulière de près de 5 kilos, un maximum de mouvements combinés afin de capter dans l'espace toutes les informations extrinsèques dont il a besoin pour assurer le bon fonctionnement de l'organisme.

Ses sollicitations intrinsèques contribuent également à ce fonctionnement. Si le pivot C 2 « supporte » le segment céphalique, c'est l'atlas qui en est le « relais » et qui sert à l'adaptation des mouvements antéro-postérieurs, associés aux nécessaires side-bendings pour permettre le maximum de combinaisons de mouvements, *compte tenu de l'orientation des surfaces articulaires réciproques de chacun des composants du cardan.*

Il est indispensable d'y ajouter la nécessaire et parfaite utilisation des boucles oculo-motrices, de l'adaptation des canaux semi-circulaires de l'oreille interne (boucle vestibulaire) ainsi que du traitement correct des informations proprioceptives corporelles (pieds en particulier) pour permettre au *mécanisme humain* son équilibre statique et dynamique vertical.

C'est *au-dessus* du pivot C 2 que le mécanisme est donc le plus important. Si, mécaniquement, le cardan permet à un corps, suspendu ou soutenu, de garder invariablement une « direction de travail » constante, il importe de se souvenir que le pivot d'appui C 2 n'est lui-même qu'en équilibre sur sa vertèbre sous-jacente C 3. Il en résulte pour l'axis des adaptations et des compensations mécaniques en rapport avec C 3.

Les adaptations mécaniques avec C 3. — Elles sont physiologiques. C 3 « suit » les mouvements globaux de la colonne cervicale en accord avec l'adaptation générale vertébrale lors de la position verticale (debout) ou verticalisée (assis).

Les surfaces articulaires postérieures réciproques de C 2 et C 3 sont les plus horizontalisées de la colonne cervicale sous-jacente (45° environ sur l'horizontale en moyenne). Ceci permet donc à l'axis « l'appui » le meilleur et le plus stable possible pour assurer sa fonction mécanique de pivot.

Les compensations mécaniques avec C 3. — Elles sont pour nous pathologiques. Compte tenu des nécessités d'appui de l'axis sur C 3, il est bien évident que toutes positions « non normalisées » de C 3 vont obliger l'axis à chercher une position compensée pour assurer sa fonction. C 3 est malheureusement l'apex du petit arc postérieur cervical occiput - C 4 et il subit lui-même un grand nombre de contraintes d'adaptation. C'est certainement une des raisons majeures de la difficulté technique de correction exacte de l'axis et la relative facilité de reproduction des lésions mécaniques à son niveau.

La place de C 2 dans la physiologie mécanique globale de la colonne verté-brale (Littlejohn, Hall, Wernham). — L'axis est une des zones de la colonne les plus exposées. La compression, due au segment céphalique et à son poids, limite la liberté de mouvement du cardan. La nécessité d'une très bonne physiologie de ce même cardan, oblige C 2 à « placer » la jonction occiput-atlas correctement, afin d'assurer le bon départ supérieur des lignes de force A.P. et P.A. ainsi que de la ligne de gravité du corps. C'est une des conditions d'un bon équilibre des polygones des forces régissant la colonne dans son ensemble. (Pyramides inversées dont les sommets se situent au niveau de D 4).

LE PIVOT C 5

Mouvements physiologiques. — La position du pivot C 5 dans la colonne cervicale lui permet sans trop de problèmes l'utilisation des axes horizontaux du trépied.

La flexibilité cervicale globale lui demande par contre les meilleures rotations possibles compte tenu des side-bendings imposés par les orientations des surfaces articulaires.

Lors des mouvements extrêmes globaux de la colonne cervicale, c'est au niveau de C 5 que les forces de tensions et de contre-pressions sont les plus importantes. C'est la raison majeure pour laquelle C 5 subit le maximum de risques arthrosiques (radios).

D'autre part, C 5 est le pivot inter-arc entre le petit arc supérieur cervical (occiput - C 4) et l'arche moyenne C 6 - D 8. Les adaptations cervico-céphaliques à la plus grande mobilité possible, par rapport au bloc thoracique haut rigide, passent par l'utilisation correcte du pivot C 5.

Les possibilités mécaniques du pivot C 5 avec les vertèbres sus-jacente C 4 et sous-jacente C 6. — Physiologiquement la mobilité de C 5 est tempérée par C 4 et C 6.

En effet, C 4 qui appartient à l'arc supérieur cervical, s'appuie sur C 5 qui lui sert de pivot. C 6, début de la double arche dorso-cervicale supérieure, est « suspendue » à C 5 tout en lui servant d'appui. *C 5 est donc le « variateur » de ces deux courbes.*

Les compensations mécaniques avec C 4 et C 6. — Il est souvent constaté une position antériorisée avec side-bending droit ou gauche de C 5 par rapport à ses vertèbres sus et sous-jacentes.

Nous pensons que ceci est surtout dû à un déséquilibre des tensions latérales du cou, musculaires et fasciales. Cette pseudo-fixation est une lésion patholo-gique, certes, mais que l'on peut considérer comme mineure. En effet, la correction par ajustement articulaire spécifique est aisée si l'on respecte les données mécaniques intervertébrales.

La physiopathologie s'en trouve vite améliorée. Il importe cependant, avant tout ajustement spécifique à ce niveau, de traiter suffisamment les tissus mous du cou.

La place de C 5 dans la physiologie mécanique globale de la colonne vertébrale. — Comme nous l'avons dit, C 5 est le pivot permettant l'articulation entre l'arc cervical supérieur et la double arche cervico-dorsale supérieure. Mécaniquement, il subit un maximum de contraintes et il est important d'obtenir une bonne mobilité et une bonne élasticité des courbes *sus et sous-jacentes avant* de corriger ou d'ajuster spécifiquement C 5.

Il ne faut pas oublier également que les lignes de force A.P. et P.A. passent pratiquement par le corps de C 5. C 5 est avec C 2 la vertèbre cervicale dont le maximum de volume — à part l'atlas — se situe dans la pyramide supérieure. La variation de volume — rétrécissement ou allongement — et de hauteur de cette pyramide supérieure va donc contraindre C 5 à plus ou moins de tension antérieure ou à plus ou moins de compression postérieure.

Il est évident que sa fonction risque fort d'en être perturbée et qu'une physiopathologie de compensation va s'installer.

LE PIVOT D 3 - D 4 - R 4

C'est une des régions mécaniques les plus importantes du corps humain.

Mouvements physiologiques. — D 3 et D 4 ont toutes possibilités relatives de mouvements physiologiques de flexion, extension, side-bendings et rotations selon les axes que nous avons définis ; ceci, malgré la rigidité du segment dorsal conditionné en particulier par la relative épaisseur du disque intervertébral par rapport à celle du corps vertébral de chacune des vertèbres dorsales (1/6 au niveau dorsal contre 1/3 au niveau cervical et lombaire).

Cette restriction d'ordre global est un peu contrebalancée par la longueur du segment (plus grand nombre de vertèbres : 12). Ainsi le bloc thoracique limite flexion et extension, mais permet une plus grande rotation et des side-bendings plus importants que l'on peut le supposer.

Il est certain également que la courbe cyphotique physiologique antérieure augmente les risques de lésions dites « postérieures » de D 3 et D 4.

Il reste à inclure dans les restrictions de mouvements imposées par cette rigidité globale qui se répercute à chaque segment vertébral dorsal, la présence de « leviers » représentés par les côtes ; la quatrième (R 4) en ce qui concerne notre pivot.

Le levier représenté par la présence de R 4. — Hall et Wernham sont formels : au sujet des contraintes costales, la force verticale gravitaire agit seulement sur les têtes de côtes. Il en résulte, de par sa longueur, une utilisation costale de levier dont le point d'appui se situe au niveau de la tête de côte. R 4 présente en plus une caractéristique importante, c'est — de haut en bas — la première côte sans tutelle musculaire cervico-céphalique (R 3 également mais d'une façon plus souvent inconstante).

Ce levier — bilatéral évidemment — influence le jeu articulaire de ses structures osseuses les plus proches : D 3 et D 4. Il est lui-même directement conditionné par le jeu costal respiratoire de l'ensemble du gril costal, que ce soit lors d'une éventuelle position dite en « inspiration », ou d'une position en « expiration ». L'utilisation non physiologique, c'est-à-dire ne respectant pas *l'adaptation* aux sollicitations lésionnelles en « anse de seau » ou en « poignée de pompe » va immanquablement créer une *compensation* supérieure ou inférieure, c'est-à-dire une situation pathologique.

C'est ce que nous nommons : *l'adaptation mécanique respiratoire, unilatérale ou bilatérale thoracique.*

De ce fait, il importe de bien comparer les deux grils costaux droit et gauche lors de l'examen clinique.

Le levier costal, très dynamique de par sa fonction mécanique permanente, va agir sur les apophyses transverses dorsales. La composante des forces verticales (gravité) et des forces horizontales (utilisation du gril costal) va être contre-balancée par la flexion ou l'extension de toute la courbe intéressée : la cyphose dorsale. Au niveau plus précis de D 3 et D 4, si les forces de cette composante ne sont pas symétriques (et elles ne le sont pratiquement jamais), l'adaptation en side-bending et en rotation peut devenir rapidement lésionnelle.

Compensation mécanique avec les complexes sus-jacent et sous-jacent au pivot D 3 - D 4 - R 4. — L'éventuelle fixation au niveau du pivot D 3 - D 4 - R 4 va solliciter différemment les complexes sus et sous-jacents en D 2 - D 3 - R 3 et en D 4 - D 5 - R 5.

Le complexe sus-jacent s'adapte plus difficilement aux sollicitations de notre pivot du fait de ses composantes musculaires et fasciales en relation directe avec la colonne cervicale, le crâne et la ceinture scapulaire. Il entre plus rapidement en compensation, donc en lésion. Il importe alors de traiter articulairement toute la ceinture scapulaire et le cou (tissus mous).

Par contre, le complexe sous-jacent D 4 - D 5 - R 5 est beaucoup plus tributaire du gril costal et d'une moindre sollicitation due à la position relativement favorable dans la double arche dorsale supérieure C 6 - D 8.

Ce complexe subit mal les sollicitations en rotation (scoliose) et les fixations à son niveau risquent d'influencer la physiologie propre du pivot. Le traitement global des arches et arcs vertébraux doit toujours alors être entrepris *avant* le traitement spécifique.

Il faut aussi ne jamais oublier que le pivot D 3 - D 4 - R 4 est le *centre vertébral numéro un de la vaso-motricité.* Tout le côté nutritionnel organique du corps en dépend.

Le retentissement sur la ventilation pulmonaire du pivot D 3 - D 4 - R 4 et ses incidences cardiaques et viscérales ne doivent pas être négligés.

L'assymétrie d'expansion du gril costal au jeu respiratoire est très fréquente.

Rôle du pivot D 3 - D 4 - R 4 dans l'organisation mécanique générale de la colonne. — C'est au niveau de D 3 - D4 que se croisent les lignes de force A.P. et P.A. La ligne de gravité intéresse en priorité D 3.

La compression est maximale sur le pivot (poids et dynamique cervico-céphalique) ; c'est également la clef de voûte de l'arche dorsale supérieure entre C 7 et D 9. Par contre, les tensions antérieures au niveau du pivot sont faibles. Ce pivot est considéré comme le point critique de la fatigabilité vertébrale et de son surmenage éventuel.

Il importe de commencer tout traitement spécifique du pivot D 3 - D 4 - R 4 par une normalisation sus-jacente dorsale haute, scapulaire et cervicale pour « optimaliser » la fonction vitale vaso-motrice et thoraco-pulmonaire. Elle sera le garant d'une bonne utilisation diaphragmatique par feedback et d'une secondaire mais non moins importante normalisation viscérale abdominale.

LE PIVOT D 9

Mouvements physiologiques. — D 9 possède une propriété unique dans la colonne vertébrale ; n'ayant structurellement que très peu ou pas de surface de facettes inférieures, elle peut subir une rotation sans side-bending préalable, ni bascule antérieure ou postérieure.

D 9 se situe entre les 2 arches cervico-dorsale C 6 - D 8 et dorso-lombaire D 10 - L 5. Tension et surmenage sont ainsi très mal tolérés par D 9. Si l'arche supérieure est rigide, D 9 transmet à l'arche inférieure la recherche d'adaptation physiopathologique ; et vice-versa, s'il s'agit de l'arche inférieure. Le pivot D 9 est une des vertèbres possédant le plus de *propriétés d'interactions mécaniques* avec toutes les « suites » viscérales envisageables.

Les adaptations et compensations mécaniques avec D 8 et D 10. — Par rapport à D 8, lorsqu'un traumatisme affecte l'arche supérieure, le pivot D 9 « encaissera » le « freinage » de la lésion sus-jacente par une position lésionnelle dite « postérieure ». Sa nécessité d'appui au niveau sous-jacent D 10, oblige alors D 9 à transmettre à l'arche inférieure une rigidité suffisante pour « assurer » toutes les transmissions mécaniques néfastes de l'arche supérieure.

C'est la raison majeure pour laquelle il importe d'articuler et de normaliser *en tout premier lieu* l'arche supérieure et D 9 pour tout traitement entrepris afin de normaliser l'arche inférieure et en particulier la zone lombaire.

D 9 peut donc être considéré comme *la base* de tout traitement du tronc.

Le rôle des leviers costaux R 9 et R 10. — R 9 et R 10 sont des leviers semi-rigides. En effet, leur appartenance à la partie inférieure du gril costal les rend très tributaires de la partie inférieure du thorax qui n'a pas d'articulation propre avec le sternum, mais une seule attache chondro-sternale basse, la plus inférieure, pour les 7, 8, 9 et 10ᵉ côtes.

Ce volet costal bas permet plus de mouvements d'ouverture du thorax en avant et en dehors. L'action du bras de levier de chacune des côtes intéressées se fera surtout dans un plan pré-horizontal.

Par agrandissement du diamètre transversal thoracique, la poussée diaphragmatique inspiratoire va basculer vers le haut et en dehors les attaches costovertébrales et obliger D 9 à « *tenir compte* » de cette sollicitation antérieure.

Cette sollicitation sera encore plus forte lors de l'expiration, surtout si cette phase respiratoire est active.

D 9 est ainsi non seulement un pivot vertébral mais aussi un *pivot respiratoire* costal bas, là où le travail respiratoire de la sangle abdominale va être le plus important. D 9 peut alors être considéré comme un des points d'appui de la respiration abdominale.

La place de D 9 dans l'organisation mécanique générale de la colonne vertébrale (Littlejohn, Hall, Wernham). — De par sa position de transition entre les 2 arches supérieures et inférieure du tronc, D 9 *subit et encaisse* toutes les tensions et compressions ressenties par ces deux arches.

Elle est aussi la clef de voûte de l'arche continue D 6 - L 2.

Les contraintes costales basses permanentes contribuent aussi à en faire un des points délicats de l'adaptation gravitaire de la colonne.

En résumé, on peut dire que D 9 est une vertèbre qui fonctionne « individuellement » compte tenu de ses multiples contraintes et de sa position (Wernham).

LE PIVOT L 3

Mouvements physiologiques. — L 3 est un pivot très important de la colonne.

Ses plateaux vertébraux supérieur et inférieur sont le plus souvent horizontaux, ce qui lui donne de grandes possibilités de mouvements antéro-postérieurs. Par contre, vertèbre lombaire, ses surfaces articulaires postérieures verticalisées, soit dans un plan plus ou moins frontal, soit dans un plan plus ou moins sagittal, ne lui autorisent que peu de possibilités de rotations et de side-bending.

Les adaptations et compensations mécaniques sus et sous-jacentes. — L 3 est situé au niveau du centre de gravité du corps.

Par rapport à L 2, l'adaptation physiologique dépend des contraintes apportées, d'une part par l'élasticité de l'arc lombaire, mais aussi par les tensions et compressions subies par l'arche inférieure dorso-lombaire.

Dans les plans frontal et sagittal, ce sont les orientations réciproques des surfaces articulaires postérieures qui vont permettre ou refuser les mouvements de flexion, extension et side-bendings.

— Une orientation frontale des facettes articulaires postérieures permet un plus grand side-bending que la flexion-extension.

— Une orientation sagittale permettra l'inverse. La grande disponibilité de compression dans tous sens du disque intervertébral L 2 - L 3 augmente les adaptations possibles.

Par rapport à L 4, il importe de considérer la présence des puissants ligaments ilio-lombaires, dont nous verrons lors de l'étude du pivot ilio-lombo-sacré toute l'importance. L 4 peut être déjà considéré comme une partie de l'entité pelvienne.

L 3 devient alors une *véritable rotule mécanique* de liaison entre pelvis et colonne sus-jacente.

Chaque fois qu'une rotation, une distorsion affectant la ligne de gravité au niveau de L 3 se produira, les résultantes des forces se reporteront sur les articulations postérieures sus et sous-jacentes de L 2 et L 4.

Le poids du corps au-dessus de L 3 se reportera alors sur tout le bassin.

Démultiplicateur de la ligne de force P.A. vers les deux acétabulums, l'action musculaire puissante et assymétrique à ce niveau (psoas-iliaques en particulier) associée à l'action non moins puissante de la gravité focalisée sur le centre de gravité du corps, vont obliger L 3 à s'adapter en permanence à des contraintes de torsion dirigées par les résultantes de ces forces.

Pour Littlejohn, L 3 est « le point de rupture dans la continuité solide colonne-pelvis ».

Toutes normalisations nécessaires de L 3 permettent de rétablir les relations articulaires vers la stabilité pelvienne et vers les demandes d'hypermobilité sus-jacentes.

La place de L 3 dans la physiologie mécanique globale de la C.V. (Littlejohn, Wernham). — Le corps de L 3 répond le plus souvent au centre de gravité du corps. De plus L 3 est le centre de démultiplication des lignes P.A. vers les deux membres inférieurs. C'est le sommet du petit triangle inférieur : L 3 — acétabulum droit — acétabulum gauche.

Ce carrefour des forces subit un maximum de tensions antérieures produites par la fluctuance de la masse viscérale. L 3 subit en arrière un maximum de compression de l'arc lombaire. Placé sur L 4, que nous considérons comme faisant partie de l'entité pelvienne, L 3 est le premier relais de toutes les contraintes d'appui verticales que le tronc impose au bassin. L'action assymétrique droite-gauche du déplacement vectoriel du corps va aussi utiliser L 3 comme pivot.

Ce sont les résultantes et les composantes de ces différentes forces en mouvement qui concrétisent sur L 3 la définition de pivot. C'est la raison pour laquelle cette vertèbre présente si souvent des lésions « primaires », l'ensemble du corps au-dessus de L 3 étant « soutenu » par ce pivot.

LE COMPLEXE-PIVOT « ILIO-LOMBO-SACRÉ »

Le complexe-pivot ilio-lombo-sacré est un ensemble structurel permettant dans les meilleurs conditions possibles de répondre à l'utilisation, par le corps humain, de la « *demande » de stabilité du bassin* pour une physiologie adaptée de la colonne vertébrale sus-jacente.

Cet ensemble structurel comprend anatomiquement :
— le pelvis : iliaques, sacrum,
— les vertèbres L 5 et L 4,
— les ligaments ilio-lombaires et ilio-sacrés.

Articulairement, sont en jeu les relations L 4 et L 5, L 5 et S 1, et les iliaques droit et gauche avec le sacrum.

Mouvements physiologiques. — Les trois plans orthogonaux frontal, sagittal et horizontal permettent au comple-pivot ilio-lombo-sacré des mouvements physiologiques bien définis. Ce sont :
— *la nutation et la contre-nutation* dans le sens antéro-postérieur, plan sagittal ;
— *les torsions sacrées* ou side-bendings, rotations dans les plans semi-orthogonaux frontal et horizontal. Les axes définis par Mitchell sont les supports de ces mouvements. les diverses inclinaisons du plateau sacré en découlent.

Chacun de ces mouvements physiologiques, associés ou non, combinés ou non, va dépendre du système structurel défini plus haut. Mais le principal facteur de mobilité et d'adaptation sera certainement le disque intervertébral ou plutôt les deux disques L 4 - L 5 et L 5 - S 1.

De leur possibilité dynamique, de leur intégrité physiologique dépend le jeu articulaire global du complexe-pivot ilio-lombo-sacré.

Leur rôle d'amortisseur des sollicitations sus-jacentes de la colonne et du poids du corps associés, doit être augmenté d'une plasticité et d'une importante faculté d'adaptation à la compression ponctuelle.

Articulairement, la stabilité sacro-iliaque est assurée par un système ligamentaire puissant, postérieur et antérieur : les ligaments ilio-sacrés et les ligaments sacro-sciatiques.

Dynamiquement, les très importants ligaments ilio-lombaires sont les freins et les garants d'une bonne utilisation physiologique de la charnière lombo-sacrée, une des zones les plus exposées de l'ensemble vertébral.

La vertèbre L 5. — L 5 est au centre de l'ensemble structurel ilio-lombo-sacré. *C'est le seul élément de cet ensemble qui présente des rapports anatomiques avec chacun des autres.*

Sa position inclinée vers l'avant la prédispose aux lésions antérieures. L 5 est cunéiforme plus ou moins inclinée sur une demi-orthogonalité horizontale et nous considérons qu'elle « répond » à la *même inclinaison* inverse du sacrum.

C'est cette position structurelle inversée qui assure la stabilité pelvienne par le jeu agoniste - antagoniste des possibilités articulaires réciproques ; l'appareillage ligamentaire « assurant » comme nous l'avons dit, toutes les sollicitations articulaires.

L 5 est le pivot du complexe-pivot ilio-lombo-sacré. Ses rapports mécaniques avec la vertèbre sus-jacente L 4 sont importants car L 4 fait partie du complexe-pivot ilio-lombo-sacré.

Si L 5 soutient L 4 et tout le corps au-dessus, L 4 permet à L 5 — par son système ligamentaire (ligaments ilio-lombaires) et son puissant appareillage musculaire à très nette prédominance pelvienne — d'éviter les trop grandes sollicitations tant antéro-postérieures (les plus importantes) que latérales et horizontales.

Un facteur primordial intervient dans leurs rapports. C'est l'orientation réciproque des surfaces articulaires postérieures de chacune d'elles. Si elles sont frontales, elles limitent les possibilités de mouvements antéro-postérieurs dans le sens sagittal mais permettent une plus grande mobilité latérale et horizontale. C'est l'inverse si leurs surfaces articulaires sont orientées réciproquement dans le plan sagittal (voir plus haut).

La plus grande difficulté d'adaptation est présente lorsque l'une de ces articulations postérieures intervertébrales est « frontale » et que l'autre est « sagittale ». Les contraintes deviennent alors très importantes et les forces de cisaillement dans les trois plans orthogonaux sont maximales ; de même, lorsque ces mêmes surfaces articulaires ont une orientation « non franche » dans les plans orthogonaux frontal et sagittal, c'est-à-dire orientées à 30°, 45°, 60° suivant les cas morphologiques.

Les adaptations sus et sous-jacentes deviennent ainsi très délicates et sont à l'origine des scolioses adaptatives au-dessus, et des multiples torsions sacrées au-dessous avec les incidences que l'on devine au niveau des membres inférieurs.

Ces dispositions anatomiques innées sont une des causes principales du *vrillage* du bassin que nous avons décrit.

L'appareil ligamentaire du complexe-pivot ilio-lombo-sacré - Ses adaptations physiologiques. — Deux groupes de ligaments sont en jeu :
— le groupe des ligaments sacro-iliaques et sacro-sciatiques,
— le groupe des ligaments lombo-ilio-sacrés.

Le premier groupe intéresse les articulations sacro-iliaques. Celles-ci « dirigent » toutes les possibilités de mobilité de la colonne vertébrale sus-jacente. C'est de leurs dispositions que dépendent toutes les conditions physiologiques fonctionnelles de la colonne. Les articulations sacro-iliaques sont ainsi structurellement plus importantes que l'ensemble vertébral lui-même.

Leur bonne permanence structurelle et l'éventuelle demande de mobilité adaptative pour assurer la stabilité nécessaire à l'axe vertébral sus-jacent *dépend* du moyen de contention ligamentaire.

C'est surtout dans les mouvements de torsions sacrées et plus précisément de vrillage du bassin que l'importance des ligaments se confirme.

L'antériorité ou la postériorité iliaque inversée, signant le vrillage, est plus « freinée » par l'appareillage ligamentaire que par l'encastrement articulaire.

Le deuxième groupe intéresse les relations vertébro-pelviennes. Il solidarise postérieurement L 4, L 5 et le bassin lui-même.

Les ligaments lombo-iliaques et lombo-sacrés limitent par leur puissance la mobilité lombo-sacrée et tendent à éviter ainsi le maximum de forces résultantes de cisaillement au niveau des disques intervertébraux lombaires.

Lors des side-bendings et des rotations, ils se tendent du côté de la convexité et se détendent du côté de la concavité.

Mais c'est surtout dans les mouvements antéro-postérieurs lombo-pelviens (antéversion, rétroversion, nutation, contre-nutation) que leur orientation spécifique dans l'espace prend toute son importance.

Le ligament ilio-lombaire supérieur joignant L 4 aux crêtes iliaques est orienté en bas, en dehors et *en arrière* ; ainsi, dans toute inclinaison en avant ce ligament va se tendre et assurer un freinage.

Le ligament ilio-lombaire inférieur joignant L 5 aux crêtes iliaques et aux articulations sacro-iliaques est orienté en bas, en dehors et plus *en avant* que le précédent ; ainsi, il limite l'inclinaison en arrière.

Ce qui nous permet de dire que l'atteinte ligamentaire du ligament ilio-lombaire supérieur intéresse les lésions L 4 et ilio-lombaires, alors que l'atteinte ligamentaire du ligament ilio-lombaire inférieur intéresse les lésions L 5 et sacro-iliaques. Le premier influencera une limitation en flexion, le second une limitation en extension.

Les bascules latérales du bassin ne peuvent être pour nous qu'une image de vrillage. En effet, toute inclinaison au niveau vertébral et sacré va, selon les lois de Fryette, induire une rotation associée. Quelle que soit la cause de cette bascule latérale (inégalité vraie des membres inférieurs en particulier) une antériorité ou une postériorité iliaque, une torsion sacrée, une rotation vertébrale lombaire basse (L 4, L 5) vont être constatées.

L'image radiologique classique de la « bascule latérale » est donc fausse. Il ne faut pas oublier qu'elle représente un volume.

Les compensations physiopathologiques des contraintes subies lors de l'utilisation du complexe-pivot ilio-lombo-sacré. Si les adaptations structurelles sus-jacentes au bassin font surtout état de modifications de courbures antéro-postérieures et de l'éventualité de la présence compensatrice de courbures latérales (scolioses), il nous semble primordial de mettre en exergue le rôle du très important surtout ligamentaire du complexe-pivot.

Il nous importe alors de retrouver la notion *d'entorse* ou « étirement ligamentaire extra-physiologique », trop souvent oubliée ou méconnue.

Il est fréquent d'entendre parler de « déplacement de vertèbre » au niveau vertébral lombaire. Si l'accident discal et ses résultantes mécaniques sont bien connus, très souvent le mouvement forcé ou contraint de la colonne lombaire basse, l'utilisation malencontreuse des leviers longs (membres inférieurs, tronc dans son ensemble) créent des « surtensions » en positions défavorables de l'ensemble structurel ilio-lombo-sacré.

Le complexe-pivot présente alors des dislocations des axes du trépied et le frein physiologique ligamentaire n'assure plus son rôle.

C'est alors l'entorse vertébrale ou sacro-iliaque, principale lésion à ce niveau avec l'accident discal.

La place du complexe-pivot ilio-lombo-sacré dans la physiologie mécanique globale de la colonne vertébrale (Littlejohn-Wernham). — Le complexe-pivot ilio-lombo-sacré est avant tout *le relais* entre la colonne vertébrale flexible au-dessus et la stabilité du bassin.

C'est la résistance de la base pelvienne de la pyramide inférieure qui sert de support à la masse viscérale abdominale et en maintient la tension nécessaire.

Les lignes de force A.P. et P.A. incluent dans leur aire d'influence l'ensemble du complexe-pivot. Il semble que ce soit l'éventuelle dislocation de la ligne de force A.P. qui soit la plus mal ressentie.

Par contre, la ligne de gravité, si elle affecte une attitude corporelle de *type postérieur,* va augmenter les risques de ptôse abdominale, perturber la pression abdominale, les tensions sacro-iliaques, diminuer les tensions musculaires et fasciales postérieures et augmenter ces mêmes tensions au niveau antérieur.

Si cette même ligne de gravité affecte une attitude corporelle de *type antérieur,* elle va augmenter la tension sacro-lombaire en pivotant antérieurement autour des têtes fémorales, augmenter la tension des muscles et fascias postérieurs des membres inférieurs et en diminuer les tensions antérieures.

LE PIVOT LIGAMENTAIRE ASTRAGALO-CALCANÉEN

Mouvements physiologiques. — Il importe de considérer d'abord l'orientation du ligament en haie ou ligament astragalo-calcanéen. Deux faisceaux sont en présence : le faisceau antérieur, orienté vers le haut, *en avant et en dehors* ; le faisceau postérieur, orienté vers le haut, *en arrière et en dehors.*

Compte tenu de l'orientation des surfaces articulaires astragalo-calcanéennes d'une part, et de la position du pivot ligamentaire situé structurellement exactement dans le prolongement de l'axe jambier, il apparaît que les mouvements de *torsion* sont les principales possibilités dynamiques astragalo-calcanéennes.

La mise en tension antéro-postérieure ou postéro-antérieure lors des mouvements extrêmes tibio-tarsiens de flexion plantaire ou flexion dorsale du pied impose également des contraintes de glissement et d'élongation réciproques au pivot astragalo-calcanéen, mais infiniment moins que les « torsions ».

Les « torsions » s'effectuent autour de l'axe de Henke, un des trois axes dynamiques fonctionnels du pied.

Le pivot astragalo-calcanéen va donc permettre une utilisation de réponse de la demande de stabilité latérale du pied. En effet, si l'axe fonctionnel bimalléolaire permet la flexion plantaire et la flexion dorsale du pied, c'est autour de l'axe de Henke que vont s'effectuer les mouvements d'éversion ou abduction-pronation et d'inversion ou adduction-supination du pied.

Adaptation en fonction de la position d'appui du pied (plan horizontal). — Astragale et calcanéum étant en présence, la fonction mécanique nous précise que l'astragale est *soutenu* par le calcanéum mais *reçoit* par l'intermédiaire du pilon tibial toutes les forces gravitaires démultipliées sur chaque appui podal selon la position des résultantes des centres de gravité des différentes masses du corps.

L'imbriquement réciproque des surfaces articulaires astragalo-calcanéennes séparées par le pivot ligamentaire astragalo-calcanéen autorise, soit un mouvement de torsion autour du pivot en dedans, soit un mouvement en dehors.

Si le calcanéum a nécessité de s'adapter à la meilleure horizontale possible pour la facilitation de la recherche d'équilibre, c'est l'astragale, *« transmetteur direct des pressions sus-jacentes »* qui va, lui, s'adapter à la position calcanéenne. Ne possédant aucune insertion musculaire, l'astragale va être tributaire, pour *freiner* ses mouvements d'adaptation, d'un système ligamentaire périarticulaire puissant et complexe ainsi que d'une position sécurisante dans la pince bimalléolaire tibio-péronière.

Il est intéressant de noter que la pince tibio-péronière est suffisamment « souple », tant en latéralité que dans le plan sagittal pour permettre à la poulie astragalienne plus large en avant qu'en arrière tous ses mouvements propres. C'est *le tuteur péronier*, par l'intermédiaire de l'élasticité du ligament interosseux tibio-péronier et de l'ensemble ligamentaire de la cheville qui permet cette adaptation physiologique.

Le jeu agoniste-antagoniste des muscles moteurs de la cheville et du pied joue également le rôle très important de *freinateur actif* des risques considérables de lésion à ce niveau. En effet, deux leviers très disproportionnés sont en présence pour la stabilité nécessaire du pied :

— le premier représenté par la hauteur très petite (quelques centimètres) du calcanéum ;

— l'autre représenté par la hauteur totale du corps au-dessus de l'astragale, variable évidemment selon les individus.

Compensation en fonction de la mécanique de l'arrière-pied et de son utilisation du pivot astragalo-calcanéen. Origine des lésions. — Si les mouvements autour de l'axe de Henke d'inversion ou d'éversion pour quelque raison que ce soit, sont exagérés, l'astragale va être obligé de subir une torsion associée trop importante autour du pivot.

La tête de l'astragale se déplace en dedans tandis que son extrémité postérieure glisse en dehors autour du pivot ligamentaire interosseux et vice versa, suivant l'inversion ou l'éversion forcée.

On dit que l'inversion forcée crée une lésion astragalo-calcanéenne postéro-externe et l'éversion forcée une lésion astragalo-calcanéenne antéro-interne.

Si l'action compressive des forces exercées par l'appui de la pince bimalléolaire, et plus précisément du pilon tibial, influence bien évidemment la position physiologique ou la position « en lésion » de l'astragale, il importe de ne jamais sous-estimer le rôle *très* important de l'ensemble mécanique du pied lors de l'éventuelle action lésionnelle.

A ce propos, nous avons souligné le rôle primordial de l'axe fonctionnel physiologique de Henke mais il nous faut y adjoindre l'utilisation mécanique correcte de la *barre de torsion de Hendrickx* matérialisée par le médio-tarse. Cette extraordinaire mosaïque mécanique relie le levier postérieur du pied représenté par la structure calcanéenne et le levier antérieur du même pied représenté par la souple palette métatarsienne.

Cette dernière « adapte » parfaitement les deux points d'appuis antérieurs du trépied podal aux « variations » du sol rencontrées par l'avant-pied.

L'arche interne du pied et sa clef de voûte scaphoïdienne sont alors très directement concernées. En effet, le scaphoïde appartient à la fois à l'arche interne mais aussi à l'arche transversale : la mosaïque médio-tarsienne du pied.

Comme le scaphoïde est étroitement solidaire de la tête de l'astragale on conçoit aisément les influences très importantes de la barre de torsion de Hendrickx sur les possibilités physiopathologiques de l'astragale.

Ainsi, par le jeu antagoniste du feedback (action-réaction) l'astragale « pivote » constamment sur le calcanéum autour du pivot ligamentaire astragalo-calcanéen pour assurer la meilleure stabilité possible du pied.

Il nous faut également ne pas omettre le positionnement de la ligne de gravité dans le plan sagittal.

Si cette ligne de gravité « tombe » en avant de l'articulation astragalo-calcanéenne antérieure nous avons à faire à un sujet de « type postérieur ». Si cette même ligne « tombe » en arrière du même repère il s'agit d'un sujet de « type antérieur ».

L'astragale transmet alors les pressions gravitaires selon un « porte à faux » signant bien souvent une situation lésionnelle de compensation intéressant *toute* la ligne gravitaire par phénomène de feedback.

LE PIVOT LIGAMENTAIRE DU GENOU

Il importe de rappeler trois fonctions fondamentales du genou avant d'étudier plus précisément notre pivot.

Le genou est le relais-vecteur du mouvement antéro-postérieur du déplacement du corps dans la marche ; c'est à ce titre que ses fonctions de « verrouillage » articulaire sont importantes ; c'est aussi ce qui nécessite la meilleure stabilité articulaire frontale à son niveau.

Mouvements physiologiques des ligaments croisés du genou. — Situés en plein centre de l'articulation, les ligaments croisés représentent pour nous le pivot ligamentaire du genou. Au nombre de deux, ils sont généralement décrits comme ligament croisé antéro-externe et ligament croisé postéro-interne.

Le premier a un *trajet oblique en haut, en arrière et en dehors*. Ses insertions sont :
— la plus antérieure sur le tibia (plateau),
— et la plus externe sur le fémur (condyle externe du fémur)

Le second a un *trajet oblique en avant, en dedans et en haut*. Ses insertions sont :
— la plus postérieure sur le tibia,
— et la plus interne sur le fémur.

Le ligament antéro-externe est plus long que le postéro-interne. Les ligaments croisés sont en contact l'un avec l'autre par leur bord axial, le postéro-interne passant en dedans de l'antéro-externe. Ils présentent de nombreux contacts méniscaux et capsulaires internes.

L'obliquité de l'un par rapport à l'autre n'est ni égale ni constante suivant les plans orthogonaux de l'espace :
— Ils apparaissent comme effectivement « croisés dans le plan frontal et dans le plan sagittal ».
— Ils sont *presque parallèles dans le plan horizontal*.

Toujours, ils restent en contact par leur bord axial.

L'inclinaison sur l'horizontale est plus ou moins marquée suivant le positionnement du fémur par rapport au tibia, lors des phases de flexion ou d'extension du genou.

On doit rappeler le moyen mnémotechnique bien connu : « L'externe est debout quand l'interne est couché. »

C'est leur longueur réciproque qui détermine leur mouvement en fonction de la forme des condyles fémoraux. A ce titre, c'est le pivot ligamentaire du genou (ligaments croisés) qui assure dans le plan frontal, la stabilité latérale du genou ; le pivot autorise en plus le glissement ou mouvement — charnière des condyles par rapport au tibia lors de la flexion ou de l'extension du genou *tout en maintenant* en contact les surfaces articulaires en présence.

Roulement et glissement étant « garantis » par la présence des ligaments croisés, c'est :

— le ligament croisé *postéro-interne* qui permet et assure le glissement condylien vers l'arrière et le roulement vers l'avant dans *l'extension du genou* ;

— le ligament croisé *antéro-externe* qui permet et assure le glissement condylien vers l'avant et le roulement vers l'arrière dans la *flexion du genou.*

Il reste à préciser physiologiquement le rôle de notre pivot ligamentaire dans la stabilité horizontale du genou, c'est-à-dire dans les mouvements minimes de rotation axiale.

Nous savons que la rotation axiale du genou n'est réalisable qu'en flexion. *Elle est impossible en extension* pour, précisément, en assurer la stabilité fonctionnelle.

— Lors de la *rotation interne* du genou en flexion il y a *tension des ligaments croisés* et relâchement des ligaments latéraux.

— Lors de la *rotation externe* du genou en flexion il y a tension des ligaments latéraux et *relâchement des ligaments croisés.*

On peut donc dire que la stabilité en rotation axiale du genou est assurée par la synergie mécanique des ligaments croisés et des ligaments latéraux du genou ; en précisant que ce sont *les ligaments croisés — le pivot ligamentaire du genou — qui interdisent en extension la rotation externe axiale du genou.*

Adaptation physiopathologique de l'utilisation du pivot ligamentaire du genou. — Compte tenu des possibilités physiologiques attribuées aux ligaments croisés que nous venons de voir, il apparaît que le pivot ligamentaire du genou va être sollicité plus particulièrement dans trois cas :

— la stabilité antéro-postérieure,

— le roulement et le glissement des surfaces articulaires, fémorale et tibiale dans le flexion-extension du genou

— la rotation interne axiale du genou.

Les deux premiers cas sont matérialisés par un mouvement clinique spécifique : *le mouvement de tiroir.*

Ce mouvement permet de rechercher d'éventuels déplacements anormaux du tibia par rapport au fémur dans le plan sagittal. Il permet également d'affirmer que la tension ligamentaire des ligaments croisés est *permanente.*

— Le « tiroir postérieur » est impossible sans la résistance tensionnelle du croisé postéro-interne ;

— le « tiroir antérieur » est impossible sans la résistance tensionnelle du croisé antéro-externe.

La lésion éventuelle de chacun des croisés va ainsi être définie par la recherche des mouvements du tiroir.

En ce qui concerne le plan horizontal et l'éventualité d'une lésion du pivot ligamentaire, il faut rappeler qu'il existe bien une rotation axiale du genou spécifiquement en rapport avec la flexion et l'extension, du fait même de l'inégalité des surfaces articulaires en présence.

Nous avons vu que c'est la rotation interne qui est assurée par le pivot ligamentaire du genou. Elle est toujours associée à la flexion du genou. Elle atteint 30° dans son amplitude maximale, c'est-à-dire lorsque le genou est en flexion à 90°.

Toute laxité supérieure à 30° dans la position que nous venons de décrire doit être considérée comme suspecte d'une atteinte du pivot ligamentaire du genou, en relation avec l'éventuel mouvement du tiroir.

Les compensations au niveau des étages articulaires sus et sous-jacents. — La stabilité du genou est étroitement dépendante de la valeur articulaire de la hanche et de l'ensemble du bassin ainsi que du pied.

On connaît plus particulièrement la douleur projetée d'une lésion articulaire de la coxo-fémorale. Il importe de se souvenir — dans le contexte mécanique des lignes de force subies par le corps humain — que la hanche est le « point d'arrivée » des deux lignes de force postéro-inférieures (à droite et à gauche), que chaque acétabulum est l'angle de base du « petit triangle inférieur » dont le sommet est L 3.

Le système de feedback (action-réaction) va donc faire intervenir le genou dans l'équilibre articulaire du bassin, mais aussi dans *l'éventuelle distorsion associée du petit triangle inférieur.* Ainsi, les deux pivots de stabilité lombo-ilio-lombaire et genou sont directement en relation étroite et *suspendus* au pivot mobile vertébral L 3.

La situation de la hanche en rotation interne ou en rotation externe en est l'image caractéristique par son influence iliaque.

Au niveau du pied, c'est l'adaptation dynamique à l'utilisation de l'axe de Henke (inversion-éversion) qui va créer une surtension ligamentaire :
— latérale pour la position en valgus,
— croisée pour la position en varus.

L'angle de marche du pied (15° environ pour chacun des deux pieds) doit donc être minutieusement contrôlé dans toute atteinte du pivot ligamentaire du genou.

Ainsi, nous pouvons dire que la relation entre la stabilité antéro-postérieure et horizontale du genou est étroite avec les possibilités d'adaptation dynamique du pied au sol et la correcte utilisation du pivot astragalo-calcanéen.

Il importe de toujours faire la comparaison clinique entre chacun des deux genoux.

Perturbations de la triangulation du membre inférieur. — Nous avons défini dans les relations existantes entre le pied et le pelvis deux triangles mécaniques. L'un est matérialisé par le pied et son trépied d'appui, véritable pyramide pentaédrique, l'autre par le squelette du membre inférieur.

Chacun de ces triangles situé dans des plans orthogonaux ou semi-orthogonaux n'ont de relations que par l'astragale qui joue le rôle de transmetteur de pressions.

Si la rigidité relative *et* adaptative du pied est constante, il importe que le triangle mécanique construit par le squelette du membre inférieur ne subisse pas de dislocation dans ses côtés les plus longs : grand trochanter-astragale et tête du fémur-astragale.

Or le relai mécanique représenté par le genou « disloque » ces lignes lors des différentes phases de la marche. C'est dans la phase d'appui unilatérale — comme dans la position statique de l'homme debout — que le verrouillage du genou va conserver, outre la stabilité nécessaire, la rectitude des lignes du triangle.

Cette stabilité doit cependant s'exercer aussi dans les phases de flexion, lors de toute la séquence de la marche.

Cliniquement, il ne faut jamais oublier qu'un genou doit être froid, indolore, mobile, stable.

LE PIVOT LIGAMENTAIRE STERNO-CLAVICULAIRE

Mouvements physiologiques du « point d'appui » du complexe scapulo-brachial. — L'articulation sterno-claviculaire est le *seul « point d'appui » fixe* de la ceinture scapulaire. Elle permet de contrôler tout le complexe scapulo-brachial. Ce dernier est considéré alors comme dépendant étroitement des « *directives claviculaires* ».

La clavicule « dirige » donc l'épaule. Elle est l'arc-boutant dynamique entre le sternum, rigide et peu mobile, et l'omoplate, sésamoïde véritable, noyé dans un complexe musculaire dense et d'une richesse fonctionnelle importante.

Si l'articulation acromio-claviculaire appartenant à l'épaule possède des qualifications propres, c'est le point d'attache ou pivot sterno-claviculaire qui va servir de « garant » de la mobilité de la clavicule.

La clavicule est mobile en rotation antérieure et en rotation postérieure.

La rotation postérieure est créée par le levier brachial dans l'antépulsion maximale du membre supérieur (bras dans le prolongement du corps).

L'humérus entraîne l'omoplate, et l'articulation acromio-claviculaire oblige la clavicule à une rotation sur son axe longitudinal.

La rotation antérieure se produit par le même levier branchial dans la rétropulsion maximale du membre supérieur. La clavicule subit une rotation sur son axe, inverse de la précédente.

Le frein du mouvement au niveau du pivot est constitué par l'appareil ligamentaire sterno-claviculaire. Il importe de noter également que la clavicule, maître d'œuvre des possibilités mécaniques de l'épaule et du bras, est aussi un relai fascial et musculaire très important avec le cou et le thorax.

Il existe également des mouvements claviculaires dans les plans frontal et sagittal où l'analytique du mouvement rejoint celle dans lequel évolue le levier directeur de ce même mouvement.

Dans le plan frontal :

— L'élévation et l'abaissement du moignon de l'épaule font décrire à l'extrémité externe de la clavicule un léger arc de cercle.

— L'abduction du membre supérieur jusqu'à 90° n'entraîne pas de mouvement de la clavicule. Au-delà, l'action de l'omoplate entraîne, par l'intermédiaire de l'articulation acromio-claviculaire, la clavicule vers le haut.

Dans le plan sagittal :

— L'avancée et le recul du moignon de l'épaule entraîne la partie externe de la clavicule dans le même sens.

— Les rotations du membre supérieur provoquent les mouvements décrits plus haut de rotation antérieure et de rotation postérieure de la clavicule.

En position anatomique, la rotation interne du membre supérieur entraîne une rotation antérieure de la clavicule ; la rotation externe, une rotation postérieure. L'élévation du membre supérieur en abduction augmente ces rotations, pour être maximales à 90°.

Dans tous les cas de mobilité claviculaire nous constatons que le point d'appui du mouvement *est* le pivot ligamentaire sterno-claviculaire.

Les ligaments sterno-claviculaires antérieur, postérieur et supérieur, le ligament interclaviculaire, le ligament costo-claviculaire inférieur sont les pièces maîtresses de ce pivot pour permettre une bonne utilisation de l'articulation.

La clinique ostéopathique, en relation ici avec la recherche de « normalité » du mouvement et la conformation même de la clavicule en S italique autorise, lors de l'examen, une véritable circumduction de l'arc-boutant claviculaire *associée* à une mobilité hélicoïdale, mouvement combiné formant dans l'espace un 8 grossier à l'intérieur d'un cône dont la base est « décrite » par l'extrémité externe de la clavicule et dont *le sommet est notre pivot ligamentaire*.

Adaptation physiologique de l'ensemble de la ceinture scapulaire. — Nous avons plusieurs fois précisé que la clavicule était le levier indispensable et directeur de l'hémi-ceinture scapulaire de son côté.

Le pivot ligamentaire joue alors son rôle de point d'appui et de frein du mouvement car les surfaces articulaires sont insuffisantes pour assurer ce rôle.

Le très important complexe musculo-fascial qui relie la clavicule au thorax, à l'épaule et au bras, est en continuelle sollicitation pour plusieurs raisons :

— la permanente action respiratoire,

— l'importance fonctionnelle du creux axillaire,

— la présence anatomique d'une vascularisation intéressant cou et membre supérieur,

— le poids du membre supérieur,

— les nécessités de l'utilisation des immenses possibilités de la main.

Mais c'est l'alternance gauche-droite et droite-gauche de l'utilisation fonctionnelle du membre supérieur qui vont nous mettre sous les yeux une adaptation physiologique très particulière de la ceinture scapulaire aux directives claviculaires.

Il existe toujours une prédominance droite ou gauche d'utilisation du bras, en puissance, en force, en finesse. Plus généralement constatée à droite (statistiquement), cette prédominance va solliciter plus intensément, le pivot ligamentaire intéressé. En réaction, l'ensemble de la ceinture scapulaire, très solidaire et très mobile, *doit « s'appuyer »* sur ses deux pivots ligamentaires sterno-claviculaires.

Cette adaptation va créer *une distorsion inversée* de l'ensemble des deux arcs boutants claviculaires, que nous avons nommé : **le vrillage sterno-claviculaire** (par analogie avec le vrillage du bassin).

Dans cette position adaptative nous trouvons le plus souvent une rotation antérieure de la clavicule d'un côté et une rotation postérieure du côté opposé. Il importe alors au praticien de *corriger l'ensemble de la ceinture scapulaire* pour régulariser l'action directrice des deux pivots ligamentaires sterno-claviculaires droit *et* gauche.

Les compensations cervicales, dorsales et contro-latérales. — Si les adaptations de la ceinture scapulaire sont considérées comme physiologiques du fait du jeu assymétrique de ses deux pivots ligamentaires, il apparaît que ces adaptations créent des situations compensatoires au niveau cervical et dorsal.

C'est, bien entendu, l'action musculaire qui sera à la base de ces compensations. Mais il ne faut en aucun cas négliger ou omettre le rôle très important des *fascias*.

Vers le cou, nous trouvons les muscles sterno-hyoïdiens, et surtout le sterno-cleïdo-mastoïdien ; vers l'épaule et le bras : le grand pectoral, le deltoïde et le trapèze ; vers le thorax : le même grand pectoral, le sous-clavier associé aux aponévroses clavi-pectorale et clavi-pectoro-axillaire.

Les compensations vertébrales cervicales et dorsales hautes vont surtout intéresser les accentuations de courbures physiologiques et en particulier les scolioses cervicales et dorsales hautes par l'assymétrie de traction musculaire.

Les surfaces articulaires intervertébrales, plastiques, subissent un modelage réciproque durant la croissance. Les éventuelles difficultés oculaires ou auditives durant cette même croissance, vont également intervenir dans le positionnement de la sphère céphalique et augmenter les difficultés d'adaptation de la ceinture scapulaire.

Ce sont les pivots vertébraux C 2, C 5 et D 3 - D 4 - R 4 qui vont le plus compenser cette difficulté d'adaptation.

La plus contrainte des articulations vertébrales sera la jonction C 7 - D 1 de par sa position de charnière entre le cou et le bloc thoracique, avec la présence du levier représenté par la 1ere côte. En effet, la 1ere côte est en étroit contact anatomique avec la clavicule, — tout près du pivot ligamentaire sterno-claviculaire — par le puissant ligament costo-claviculaire.

L'interdépendance costo-claviculaire nous permet de dire qu'une lésion de la clavicule intéresse très souvent le positionnement de la 1ere côte et réciproquement.

Les éventuelles compensations contro-latérales sont presque toujours dues à l'assymétrie d'utilisation du pivot dont l'image — nous l'avons expliqué plus haut — est le *vrillage sterno-claviculaire*, lésion à normaliser ou à corriger ostéo-pathiquement.

4

LES PIVOTS DANS L'ACTIVITÉ
TONIQUE POSTURALE

UTILISATION A LEUR ENCONTRE
DE CERTAINES POSSIBILITÉS
MYO-FASCIALES DU SYSTÈME CROISÉ

Le *Discours de la Méthode* de Descartes édifie un concept rationaliste en quatre points :
— incrédulité primaire au sens « premier » du terme ;
— division au maximum des difficultés rencontrées ;
— études des choses les plus simples avant les plus complexes ;
— tenir compte des études antérieures afin si possible de les améliorer.

L'habitude d'expliquer des phénomènes complexes en les simplifiant a ainsi été prise dans la réflexion occidentale.

De récents travaux portant sur l'étude de l'activité tonique posturale nous ont permis de modifier notre optique. Par exemple, la douleur était considérée comme étant conditionnée par la présence d'une lésion. Il suffisait donc d'agir sur la lésion constatée pour en résoudre le problème.

La théorie des systèmes

Cette théorie repose sur deux principes de base si on l'applique à une dynamique corporelle :
— Toutes les parties d'un ensemble dynamique corporel sont en interaction les unes avec les autres.
— Le tout ne peut être l'addition de constituants isolés mais le résultat de cette interaction.

Ainsi, la relation qui influence ces constituants leur permet *une organisation* dans un tout finalisé.

Ce que nous nommons le « trouble fonctionnel » devient alors l'expression de cette organisation « interaction ». Cette organisation étant physiologiquement sous la dépendance d'un système neuro-endocrinien de réglage, ce dernier prend pour nous le « titre » de *circuit informationnel.*

Il apparaît évident alors que le trouble fonctionnel peut être considéré comme un déficit de traitement de l'information, base de fonctionnement complexe de ces réglages.

Il a été maintes fois constaté expérimentalement et cliniquement des relations autoréglées entre les divers constituants de l'organisme (viscères en particulier) et ceux du système locomoteur (effets réflexes à distance en particulier).

Quelquefois même, aucune lésion n'est décelée malgré la présence manifeste d'un trouble fonctionnel ; l'aspect psychosomatique du problème est alors envisagé.

Ces diverses constatations nous ont fait appréhender l'examen du malade et son corollaire le traitement sous un angle particulier ; toute manifestation ponctuelle ou localisée d'une éventuelle lésion ne doit pas être dissociée mais *intégrée* dans la totalité de l'activité physiologique de l'organisme.

L'interaction du trouble local et du trouble général est ainsi mise en évidence. C'est la théorie des systèmes, une des images du « feedback » (action-réaction).

L'abord de la symptomatologie, l'examen clinique du patient et le raisonnement amenant le traitement nous font alors aborder le problème posé par le patient dans une optique globale tout à fait en rapport avec un des concepts ostéopathiques : « L'homme est un tout » ...

L'activité tonique posturale dont l'agent *et* le seul « moyen d'action » sont *le muscle,* va donc être utilisée par le corps pour répondre aux sollicitations statiques et dynamiques.

Cette activité tonique posturale va utiliser des systèmes myo-fasciaux dits « droit » et « croisé », pour assurer sa fonction. *Elle n'effectuera correctement cette fonction que si son utilisation des pivots est elle-même correcte.*

Il est évident en effet que le système informationnel ne peut réussir fondamentalement ses transmissions si les mécano-récepteurs et effecteurs sont perturbés en un endroit quel qu'il soit. Il ne faut jamais oublier que les structures vertébrales ne permettent la progression des informations afférentes ou efférentes correctes que si leur fonction n'est pas perturbée. Le risque d'une information erronée ou même faussée doit être pris en grande considération.

Nous verrons donc dans ce chapitre, un certain nombre de données fondamentales anatomo-physiologiques intéressant *le* muscle et l'intégration de son utilisation dans le concept ostéopathique mécanique.

Nous « classerons » ensuite le plus schématiquement possible, le système droit et le système croisé, et les incidences physiopathologiques de leur utilisation en fonction des pivots. Nous proposerons enfin, une utilisation thérapeutique du système croisé.

Mais il nous importe avant, de définir — autant que faire se peut ! — la notion de mouvement.

LE MOUVEMENT

Parmi les multiples définitions que donnent les différents dictionnaires de langue française, il en est une, simple, qui nous semble définir le mieux le mot « mouvement » en ce qui concerne notre optique : le mouvement est « le déplacement d'un mobile ».

Le corps humain est pour nous en perpétuel mouvement pour lutter contre les effets de la pesanteur. Il apparaît en effet qu'il n'est en aucun cas immobile, même lors de sa position la plus statique possible et statique ne veut pas dire immobile mais plutôt « ne résultant d'aucun déplacement vectoriel ».

Mécaniquement, il apparaît que tout mouvement corporel est le résultat de deux forces de sens contraire qui s'actualisent alternativement. (La flexion est liée à l'extension et vice versa.)

Le mouvement va donc commencer, ou mieux, débuter, par une position posturale *et finir, ou mieux, se terminer, dans une autre position posturale.* On peut accorder au mouvement l'équivalence d'une série de séquences posturales finalisées. Le phénomène de la marche en est l'exemple typique.

Entre en jeu, alors, la notion d'équilibre. Le mouvement correct en dépend et *le muscle en est le moyen.* Nous verrons ultérieurement comment l'utilisation du moyen musculaire peut être appréhendée dans notre étude.

En ce qui concerne l'activité musculaire nous la classerons en deux phases physiologiques :
— l'activité tonique,
— l'activité phasique.

Chacune de ces phases, étroitement liées comme les interactions antagonistes, nous amène à une élaboration du mouvement « global ».

Le mouvement global va mettre en jeu plusieurs articulations et des actions musculaires permettant l'analytique des mouvements définis comme : la flexion, l'adduction, la rotation interne, et leurs antagonistes : l'extension, l'abduction, la rotation externe. L'ensemble constitue une véritable *cybernétique du corps humain.*

La quatrième dimension : *le temps,* va alors intervenir pour placer le mouvement dans son propre espace.

Si le but du mouvement se situe dans le futur, il ne peut se soustraire à la fois au passé et au présent.

Une présélection des actions fonctionnelles peut s'être élaborée dans le passé : c'est le moment imaginaire du mouvement.

Cette élaboration sera facilitée, ou contrariée, dans le moment présent, soit par une atteinte de la situation posturale de départ ou d'arrivée telles que la limitation articulaire ou la rétraction musculaire pathologique, soit par des phénomènes non moins pathologiques comme la douleur. Ce sont ces « sensations » du présent qui vont intervenir dans la finalité correcte du mouvement dans le futur.

Toute cette organisation dépend bien entendu de notre système nerveux et de son utilisation hiérarchisée.

En résumé, les caractéristiques importantes que nous devons relever dans le but d'une utilisation ostéopathique du mouvement sont les suivantes :
— la notion de déplacement corporel vectoriel, même minime ;
— la notion de déplacement spatial ;
— la notion d'analytique du mouvement avec les trois composantes :
   . flexion - extension,
   . abduction - adduction,
   . rotation interne - rotation externe ;
ces trois composantes situant la notion d'orthogonalité des trois plans dans l'espace : frontal, sagittal, horizontal et leurs éventuelles résultantes ;
— la notion physiologique d'activité posturale, soit tonique, soit phasique ;
— la notion mécanique d'agoniste et d'antagoniste ;
— la notion temporelle du moment ;
— la notion de but à atteindre ou mieux, la finalité propre du mouvement.

NOTIONS PHYSIOLOGIQUES DE BASE

L'activité tonique posturale est une fonction qui ne peut être rattachée à aucune région spécifique du système nerveux. « Les structures sont partout, de la moelle jusqu'au cerveau » (Morin). Elle ne peut pas se séparer des fonctions statiques et d'équilibration.

De très nombreux auteurs ont donné des définitions du tonus (Morin, Rademaker, Sherrington). Nous nous garderons bien d'essayer d'en donner une autre. Nous emprunterons celle de Sherrington : « La contraction tonique est l'activité tonique posturale des muscles qui fixe les articulations dans des positions déterminées, solidaires les unes des autres, et compose l'attitude d'ensemble. »

Le tonus musculaire représente une *activité motrice globale* de posture et d'équilibration, indépendante de la volonté. Son contrôle est dévolu au système extra-pyramidal et au cervelet.

Les interrelations avec l'activité motrice volontaire contrôlée par le système pyramidal sont nombreuses et pas totalement connues aujourd'hui. Toutefois, ces deux systèmes fonctionnent en synergie et ne peuvent en aucune façon se passer l'un de l'autre pour une bonne activité motrice.

RAPPEL ANATOMIQUE SOMMAIRE DES SYSTÈMES
EXTRA-PYRAMIDAL ET CÉRÉBELLEUX

Le système extra-pyramidal. — Il est constitué :
— des aires corticales 6.8.1.2.3.5 et 22 d'après la classification de Brodmann ;
— des noyaux gris centraux :
  - le striatum (noyau caudé et putamen) dont les fonctions sont réceptrices et associatives,
  - le pallidum, dont le rôle est essentiellement effecteur,
  - le thalamus, et plus précisément ses noyaux antérieur et ventro-latéral,
  - certaines formations sous-thalamiques (zona incerta, corps de Luys, locus niger, noyau rouge),
  - la *substance réticulée mésencéphalique* dont l'importance a été soulignée au cours de ces dernières années, d'où partent les voies extra-pyramidales médullaires.

Toutes ces différentes formations sont reliées entre elles par des voies associatives multineuronales qui constituent les voies extra-pyramidales. Elles projettent sur le cortex cérébral, le tronc cérébral, le cervelet et la moelle. Elles contrôlent ainsi l'activité motrice.

De plus, cet ensemble est en étroite liaison avec les structures nerveuses qui interviennent dans la commande motrice, et joue un rôle dans la réalisation du mouvement volontaire.

Le système cérébelleux. — Placé en déviation à la face postérieure du tronc cérébral, le cervelet est constitué d'un vermis médian, de deux hémisphères latéraux et de noyaux centraux (noyau dentelé, noyau du toit, embolus et globulus).

Le cervelet est relié :
— au bulbe par les pédoncules cérébelleux inférieurs,
— à la protubérance par les pédoncules cérébelleux moyens,
— aux pédoncules cérébraux par les pédoncules cérébelleux supérieurs.
Nous adopterons la classique division phylogénétique suivante :

L'archéo-cérébellum. — Il est constitué du lobe floculo-nodulaire. Il présente des connexions vestibulaires.

Le paléo-cérébellum. — Il est constitué par le vermis. Il présente des connexions spinales et mésencéphaliques.

Il reçoit des afférences en provenance des faisceaux de Fleschig et Gowers. *Il émet des fibres* qui, après relais dans le noyau du toit et le globulus, gagnent le pédoncule cérébelleux supérieur. Elles constituent les faisceaux en crochet de Russell et la commissure de Wernekink. Elles rejoignent la partie ancienne du noyau rouge où elles font synapse avec les fibres qui entrent dans la constitution du faisceau rubro-spinal.

Le néo-cérébellum. — Il est constitué des lobes latéraux et présente des connexions avec le cortex cérébral.

Par le pédoncule cérébelleux moyen, il reçoit des afférences en provenance des noyaux du pont, eux-mêmes en connexion avec les aires 6.7.5 et 21 du cortex.

Le néo-cortex émet alors des fibres qui après relais dans le noyau dentelé et l'embolus gagnent, par le pédoncule cérébelleux supérieur, le noyau rouge et le thalamus. Après le relais thalamique il projette dans les aires 5 et 6 du cortex.

Le cervelet joue ainsi un grand rôle dans la régulation de l'adaptation posturale et des mouvements volontaires, permettant le jeu harmonieux des muscles agonistes et antagonistes, leur contraction et leur décontraction.

L'archéo et le paléo-cérébellum interviennent dans la régulation de la statique grâce à l'ajustement permanent du tonus de soutien aux nécessités de l'équilibre statique ; alors que le néo-cérébellum contrôle et coordonne l'activité cinétique, régularisant les mouvements volontaires des membres.

RAPPEL ANATOMIQUE SOMMAIRE DU SYSTÈME MÉDULLAIRE SEGMENTAIRE

A ce niveau, la motricité est commandée par deux types de neurones :
— le motoneurone alpha qui s'articule avec la voie pyramidale et constitue la voie finale commune,
— le motoneurone gamma qui s'articule avec la voie extra-pyramidale.
C'est le motoneurone gamma qui règle le tonus du fuseau neuro-musculaire (formation spécifique située en parallèle à la fibre musculaire).
Le motoneurone alpha innerve les fibres musculaires. Le motoneurone gamma innerve le muscle du fuseau neuro-musculaire.

Les fuseaux neuro-musculaires. — Ils sont parallèles aux fibres contractiles des muscles striés. Ils renferment deux sortes de fibres : les fibres à sac nucléaire et les fibres à chaîne nucléaire.

— Les premières présentent un renflement dans leur partie équatoriale : le sac, où sont accumulés de nombreux noyaux, la striation n'est visible que dans les segments polaires.

— Les secondes ne comportent pas de renflement et les noyaux sont rangés en chaîne, en file indienne.

L'innervation sensitive est assurée par deux types de terminaisons nerveuses.

Les terminaisons primaires qui s'enroulent en spirale autour du sac ou de la chaîne nucléaire. Ce sont les fibres Ia de gros calibre. Elles s'articulent directement avec les motoneurones et contribuent à former l'arc monosynaptique du réflexe myotatique.

Les fibres Ia ont un seuil bas répondant à des étirements d'intensité légère et aux variations rapides de tension. Leur articulation se fait plus sur les *motoneurones extenseurs* (fibres myéliniques Ia de 12 à 20 μm réalisant le *réflexe monosynaptique en extension*).

Les terminaisons secondaires innervent les fibres à chaîne. Elles sont fournies par des fibres plus étroites du groupe II qui s'articulent avec les interneurones médullaires et contribuent à former l'arc polysynaptique de réflexes de flexion dont la signification demeure obscure.

L'innervation motrice est assurée par les motoneurones gamma. Nous en distinguerons deux types :
— gamma 1 : ils innervent les fibres à sac ;
— gamma 2 : ils innervent les fibres à chaîne.

Les motoneurones gamma interviennent dans la détermination du niveau d'activité « fuseauriale ». Lorsqu'ils fonctionnent, les éléments contractiles se raccourcissent, étirant la partie réceptrice et entraînant ainsi des variations de valeur du seuil réflexe d'étirement. Notons également l'existence dans les tendons des corpuscules de Golgi. Ils sont sensibles aux variations de tension du tendon. Ils sont innervés par des fibres du groupe Ib. C'est une voie entièrement dysynaptique.

Lorsqu'ils sont stimulés, leur fibre Ib transmet un influx inhibiteur qui parvient par l'intermédiaire d'interneurones spinaux, aux motoneurones alpha innervant le muscle auquel est rattaché le tendon. Ils réalisent le réflexe myotatique *inverse*.

Le muscle squelettique. — On admet actuellement une *spécialisation tonique ou phasique* pour certains muscles ou groupes musculaires. Ranvier a montré à la fin du siècle dernier, chez le lapin, l'existence de fibres toniques à finalité posturale et de fibres phasiques adaptées au mouvement volontaire.

Nettement plus tard, Eccles a montré tout un ensemble de propriétés qui permettent d'opposer les muscles à fonctionnement tonique aux muscles ayant un rôle principalement phasique.

Les fibres blanches de type II ou A phasiques ont pour caractéristiques :

— d'être de contraction rapide,
— très brève,
— de grande vulnérabilité à la fatigue,
— de grande dépense énergétique,
— utilisant un métabolisme anaérobie.
Ce sont les fibres du mouvement volontaire.

Les fibres rouges de type I ou B toniques ont pour caractéristiques :

— d'être de contraction lente,
— persistante,
— de faible vulnérabilité à la fatigue,
— de faible dépense énergétique,
— utilisant un métabolisme aérobie.
Ce sont les fibres adaptées à la posture.

Enfin, les physiologistes Granit et Eccles nous ont montré indépendamment l'un de l'autre l'existence de motoneurones spécialisés, confirmant la description des caractères différents des deux types de fibres musculaires :
— les motoneurones *alpha phasiques* innervant les fibres blanches,
— les motoneurones *alpha toniques* innervant les fibres rouges.

Autres influences périphériques

— Les récepteurs cutanés,
— les récepteurs articulaires,
— les récepteurs profonds des membranes interosseuses,
— les terminaisons intramusculaires,
— les récepteurs viscéraux,

paraissent exercer sur le tonus musculaire des influences inhibitrices ou facilitatrices dont les mécanismes médullaires synaptiques ne sont pas très bien connus.

L'ACTIVITÉ TONIQUE POSTURALE

Pour J.B. Baron : « Debout au repos, le corps n'est jamais immobile, il oscille en permanence suivant des rythmes particuliers et complexes dont l'amplitude et la fréquence rendent compte du fonctionnement des différents systèmes sensori-moteurs qui placent et maintiennent le centre de gravité à l'intérieur du polygone de sustentation chez l'homme debout. » (Film « La régulation posturale », Lab. Clin - Comar - Byla.)

Le tonus musculaire permanent, appelé *tonus de posture,* est régulé par des mécanismes neuro-musculaires complexes qui mettent en jeu une organisation spinale et supra-spinale.

L'organisation spinale

Elle comprend un certain nombre d'analyseurs. Les informations qu'ils recueillent vont diffuser vers le cervelet et le cortex. Les boucles plus ou moins longues du système extra-pyramidal se rebouclent sur les commandes cérébelleuses et corticales.

— Les propriocepteurs cutanés plantaires informent sur la pression au sol.
— Les corpuscules de Ruffini et de Paccini, capsulaires et ligamentaires, informent sur l'angulation, la vitesse et la direction des mouvements articulaires.
— Les organes tendineux de Golgi sont les initiateurs d'une boucle réflexe freinant l'activité musculaire.
— Les fuseaux neuro-musculaires, initiateurs d'une boucle longue que représente le système gamma.
Ils jouent le rôle de tensiomètres.

La régulation médullaire

C'est *le réflexe myotatique* ou « *stretch reflex* », l'élément primordial de la régulation du tonus musculaire (Sherrington). Toutefois, le fonctionnement du fuseau neuro-musculaire n'est pas sous la seule dépendance de leur étirement passif. L'activité tonique posturale est permanente. Elle existe en dehors de tout étirement.

La bouche gamma permet une activité tonique permanente et auto-entretenue par activation d'un neurone gamma entraînant :
— la contraction du fuseau,
— l'excitation de la fibre anulo-spiralée,
— une nouvelle volée d'influx pour les neurones gamma et alpha moteurs, d'où une augmentation du tonus...
Ainsi le processus se renouvelle par *le mécanisme d'auto-excitation.*

Le système inhibiteur de Renshaw. — C'est une boucle rétro-active négative capable de freiner de façon antérégulée l'activité du motoneurone alpha. (L'intermédiaire biochimique de cette synapse est un acide aminé inhibiteur, la glycine).

L'inhibition pré-synaptique. — Elle peut s'observer sur les fibres Ia par l'intermédiaire d'interneurones et les influx afférents n'atteignent alors plus les motoneurones alpha.

L'organisation supra-supinale et sa régulation

Les appareils vestibulaires. — Ils donnent des informations qui proviennent ipsi et contro-latéralement, par les noyaux vestibulaires et bulbaires, aux formations réticulaires, au cervelet et au cortex.

Les influences s'expriment par les voies vestibulo et réticulo-spinales. Ainsi, tout changement de position de la tête entraîne une variation de l'activité tonique posturale.

RAPPEL ANATOMIQUE SOMMAIRE :

Les canaux semi-circulaires. — Au nombre de trois de chaque côté, ils sont perpendiculaires les uns par rapport aux autres et se retrouvent par conséquent dans les trois plans de l'espace. L'endolymphe y circule librement. Ils s'ouvrent dans le vestibule par les deux extrémités ; l'un de leurs orifices présente une dilatation dans laquelle se trouvent les cellules sensorielles munies de longs cils entourés à leur base par des ramifications de la branche vestibulaire du nerf auditif.

Les canaux semi-circulaires enregistrent les déplacements angulaires.

L'appareil otolithique. — Il comprend les taches acoustiques : utricule et saccule qui sont de petites vésicules recouvertes de la membrane otolithique. L'épithélium comprend des cellules sensorielles ; elles sont entourées à leur base par des ramifications de la branche vestibulaire du nerf auditif.

La membrane otolithique contient des concrétions de carbonate de calcium : les otolithes.

L'endolymphe circule entre l'épithélium et la membrane otolithique. L'appareil otolithique enregistre les déplacements linéaires verticaux et horizontaux. Les changements de position de la tête provoque l'excitation des cellules de cet épithélium.

Le système oculo-moteur

RAPPEL ANATOMIQUE SOMMAIRE. — Nous savons que chaque globe oculaire comprend dix muscles :

— le droit supérieur   innervé par le III
— le droit inférieur   innervé par le III
— le droit interne   innervé par le III
— le petit oblique   innervé par le III
— le grand oblique   innervé par le IV
— le droit externe   innervé par le VI

Les nerfs oculo-moteurs, c'est-à-dire les III, IV et VI paires crâniennes, dont les noyaux sont situés dans la protubérance et les pédoncules cérébraux, constituent la voie finale commune à tous les influx nerveux qui gagnent les muscles oculo moteurs.

a) *Les noyaux oculo-moteurs subissent l'action permanente des différents systèmes.*

Les centres corticaux sont les plus importants :

— l'aire oculo-motrice frontale (8 de Brodman) commande chez l'homme la motilité oculaire volontaire ;

— les aires oculo-motrices occipito-pariétales (18 et 19 de Brodman) commandent la fixation du regard qui amène à la fovéa rétinienne l'image de l'objet apparu dans le champ visuel du sujet ;

— d'autres aires oculo-motrices corticales existent, en particulier dans le cortex temporal, permettant les mouvements oculaires après une stimulation auditive.

L'action d'autres systèmes comme le cervelet, la substance réticulée, les *labyrinthes et les voies vestibulaires* unissant les noyaux vestibulaires aux noyaux oculo-moteurs. Ils permettent les mouvements oculaires réflexes assurant l'adaptation des yeux aux changements de position de la tête et aux mouvements rotatoires du sujet.

b) *La bandelette longitudinale postérieure,* B.L.P., est un système de coordination internucléaire qui joue un rôle important :

— dans l'oculo-céphalogyrie, en raison des connexions qu'elle établit entre les noyaux oculo-moteurs et les autres noyaux des paires crâniennes ;

— dans la réalisation des mouvements oculaires eux-mêmes, en assurant les connexions entre les différents noyaux oculo-moteurs, et, en permettant ainsi leur action coordonnée, en particulier dans les mouvements de latéralité.

Les mouvements des yeux ne sont pas indépendants mais synergiques, harmonieusement conjugués.

Ainsi, les douze muscles moteurs des globes oculaires répondent aux ordres des zones corticales motrices spécifiques, et sont coordonnés par la BLP du tronc cérébral.

L'oculo-motricité donne la référence de la verticale, l'horizontale et la transversale qu'elle compare avec les informations positionnelles labyrinthiques.

Pour J.B. Baron, l'oculo-motricité commande, contrôle et coordonne *l'adaptation à la gravité*. C'est le véritable chef d'orchestre de toute l'activité tonique posturale, réglant la position de la tête dans l'espace.

Les propriocepteurs des muscles nuquaux. — Les réflexes de Magnus et de Klein illustrent parfaitement leur participation. (Rappelons qu'*une rotation de la tête d'un côté, provoque la facilitation des extenseurs et des abducteurs du membre supérieur du côté de la rotation, et la facilitation des fléchisseurs et des adducteurs du côté opposé à la rotation.*)

RAPPEL ANATOMIQUE SOMMAIRE :
Les muscles sous-occipitaux profonds, mono-articulaires :

— muscles grand droit postérieur   droit et gauche

— muscles petit droit postérieur   droit et gauche

— muscles grand oblique   droit et gauche

— muscles petit oblique   droit et gauche

— muscles interépineux

reçoivent leur innervation motrice de la 1re branche cervicale postérieure de C 1 coordonnée par la bandelette longitudinale postérieure à toute l'oculomotricité.

Les muscles les plus superficiels, poly-articulaires, sterno-cléidomastoïdiens et trapèze innervés par la racine médullaire du spinal, partie prenante de la voie cortico-céphalogyre.

La régulation supra-spinale

Le système nerveux pyramidal et extra-pyramidal travaillent en synergie. « Trois boucles de régulation nous montrent que les formations extra-pyramidales modifient l'excitabilité du neurone moteur cortical soit par facilitation, soit par inhibition, mais aussi que l'influx pyramidal est capable de renseigner le système extra-pyramidal et d'y entraîner des modifications » (*E.M.C. Activité motrice et tonus musculaire*).

Les mécanismes centraux régulateurs du tonus et de la posture exercent une influence facilitante et inhibitrice :
— Influence de la formation réticulée :
  . inhibitrice,
  . activatrice (faisceau réticulo-spinal médian).

— Influence cérébelleuse :
  . inhibitrice (paléo-cervelet),
  . activatrice (néo-cervelet).
— Influence vestibulaire : activatrice (voie vestibulo-spinale).
— Influence de noyaux gris centraux.
— Influence corticale.

En conclusion, il nous faut insister sur le rôle très important de la formation réticulaire qui représente la voie finale commune de l'ensemble des systèmes de contrôle central.

LIEN NEUROLOGIQUE
PIVOTS — SYSTÈME CROISÉ MYO-FASCIAL

Les racines motrices dominantes du système croisé comprennent (fig. 31) :
— C 4, racine stabilisatrice de l'hémiceinture scapulaire antérieure,
— C 5, racine mobilisatrice de l'hémiceinture scapulaire antérieure,
— C 6, racine stabilisatrice postérieure et mobilisatrice du segment distal supérieur (membre supérieur).

Ces racines stabilisatrices et mobilisatrices de la ceinture scapulaire et des membres supérieurs dépendent de l'intégrité du pivot D 3 - D 4 - R 4.

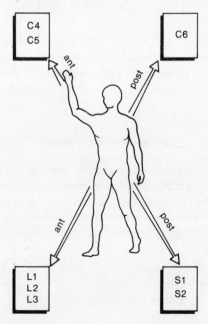

Fig. 31. — *Racines motrices dominantes du système croisé.*

La relation avec le pivot supérieur C 2 et le segment céphalique dépend de la bonne organisation synergique des principaux rotateurs de la tête (muscles verniers, S.C.M. et scalènes) en accord avec l'oculomotricité et la bonne ordonnance d'utilisation des canaux semi-circulaires de l'oreille interne, informateurs des centres mésencéphaliques régulateurs de l'activité tonique posturale :

— L 1 - L 2 - L 3, mobilisatrices du membre inférieur antérieur,
— S 1 - S 2, mobilisatrices du membre inférieur postérieur.

Le bassin étant une structure rigide contrairement à la ceinture scapulaire où les omoplates sésamoïdes nécessitant une fixation, l'utilisation des racines impliquées à leur niveau induit le vrillage.

Nous sommes en présence d'un double vrillage scapulaire et pelvien qui détermine l'adaptation et la bonne utilisation des pivots vertébraux pour une ergonomie de déambulation vectorielle correcte.

D'après J. Benassy, les territoires sont ainsi constitués :

C 4	diaphragme (équilibrateur des pressions thoraciques et abdominales)	
	grand dentelé angulaire de l'omoplate rhomboïdes	fixateurs de l'omo- serrato-thoracique
C 5	deltoïde sus-épineux	abducteurs
	sous-épineux	rotateur externe du bras
	biceps brachial brachial antérieur	fléchisseurs
	long supinateur court supinateur	supinateurs de l'avant-bras
C 6	grand rond grand dorsal grand pectoral (clef claviculaire)	adducteurs
	sous-scapulaire longue portion du biceps	rotateur interne du bras pronateur de l'avant-bras
	rond pronateur radiaux	fléchisseurs dorsaux du poignet
L 1	Le couturier, régulateur positionnel des différents segments osseux du membre inférieur	
L 2	psoas iliaque droit antérieur pectine et adducteurs	
L 3	vastes interne et externe droit interne	
S 1	grand fessier biceps fémoral triceps sural fléchisseurs des orteils (propres et communs)	
S 2	petits muscles de la plante du pied	

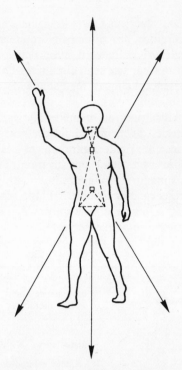

FIG. 32. — *Le système droit* « tient » la structure. *Le système croisé* « permet » le déplacement vectoriel.

Comme J. Benassy, nous pensons que la loi de Paul Bert traduit la réalité physiologique de toute cinétique corporelle (fig. 32).

GÉNÉRALITÉS CONCERNANT LA THÉRAPEUTIQUE ASSOCIÉE DES SYSTÈMES DROIT ET CROISÉ

Il importe de préciser certains points en ce qui concerne l'utilisation des systèmes droit et croisé myo-fasciaux.

Nous considérons cette thérapeutique et ces techniques comme un excellent adjuvant et, quelquefois, un complément indispensable au traitement ostéopathique des pivots.

Dans le contexte précis de cette optique ostéopathique, il apparaît que — sans le rejeter en aucune manière — nous utiliserons infiniment moins le système droit que le système croisé. Il entre dans notre intention non pas de les différencier — le traitement ostéopathique est un tout — mais les pivots étant conçus dans le but d'une utilisation dynamique du corps humain — *avec le déplacement vectoriel*, nous serons bien naturellement enclins à privilégier le système croisé.

Les caractéristiques du **système droit** sont surtout définies par l'utilisation du mouvement dans un seul plan :
— frontal pour l'adduction-abduction,
— sagittal pour la flexion-extension,
et très éventuellement horizontal pour les rotations « statiques » droite et gauche.

Il ne peut donc pratiquement pas servir au déplacement vectoriel du corps (marche par exemple) sauf en ce qui concerne l'interaction indispensable entre les deux systèmes, mais il incite à l'enroulement-déroulement du corps en fonction de l'action de la pesanteur. A ce titre, il conditionne l'érection vertébrale en vue de lutter contre cette même pesanteur. Il est considéré comme le « ressort » du mouvement combiné de flexion-*redressement*. Il peut permettre de passer d'une position statique à une autre position statique ; de la verticale à l'horizontale et vice versa, en passant par la position assise par exemple.

Le système droit est l'image concrète de l'activité tonique posturale et de l'équilibre statique de l'individu.

Il ne faut pas oublier la latéralité, rare, en déplacement corporel. Elle est certes peu utilisée mais tout de même existante (équilibre en abduction-adduction). L'utilisation de l'appareil podal en est l'illustration parfaite.

Il permet également, toujours en faisant intervenir les notions physiologiques de l'Équilibre, de faire office de maître d'œuvre anti-gravitationnel ; ce qui paradoxalement, l'oblige souvent à avoir une action de « tassement vertébral » par non-alignement des lignes de force A.P. et P.A. et de la ligne de gravité.

En effet, le redressement forcé du corps pour lutter contre la gravité diminue la surface des polygones des forces en majorant l'action de la ligne de gravité. La dispersion de son action se trouve minimisée et elle focalise sa puissance sur l'ensemble de la colonne en créant une force déséquilibrante qui augmente au fur et à mesure du redressement anti-gravitaire. La surface d'appui se rétrécit et l'impact gravitaire sur son centre augmente.

Le système croisé autorise le déplacement vectoriel dans la situation de l'homme debout (marche par exemple) et *tout déplacement corporel spatio-temporel dans tous les plans*. C'est l'image concrète de la coordination motrice, une des clefs d'une ostéopathie totale.

C'est pour nous l'aspect intéressant d'une thérapeutique ou mieux de *techniques associées au traitement spécifique des pivots*.

Il importe de rappeler la hiérarchie neurologique en ce qui concerne le cervelet, maître d'œuvre de l'ensemble de la coordination motrice et de l'équilibre. Le cervelet est divisé en archéo-cérébellum, paléo-cérébellum et néo-cérébellum :
— L'archéo-cérébellum intéresse le seul contrôle de l'équilibre,
— le paléo-cérébellum intéresse le tonus postural statique, le système tonique,

— le néo-cérébellum contrôle le mouvement involontaire et coordonné, le système phasique.

Le cervelet étant « couplé » avec le système extra-pyramidal, nous n'insisterons jamais assez sur l'importance des tests cliniques neurologiques ; s'ils sont positifs, l'atteinte est purement neurologique et dépend impérativement de l'avis du spécialiste ; s'ils sont négatifs, l'ostéopathie a le plus grand rôle à jouer dans l'action thérapeutique associée.

Afin de simplifier les principes d'utilisation des systèmes droit et croisé myo-fasciaux, nous utiliserons les « principes » physiologiques musculaires divisés en trois parties distinctes, mais évidemment intriquées dans la pratique.

1.	6 « muscles », ou mieux 3 groupes de muscles, liés à l'analytique du mouvement	— fléchisseurs-extenseurs — abducteurs-adducteurs — rotateurs internes-rotateurs externes
2.	3 antagonismes d'équilibre	— tonique-phasique — grand levier-petit levier — muscles profonds-muscles superficiels
3.	4 nuances d'utilisation musculaire physiologique	— tonico-tonique — tonico-phasique — phasico-phasique — phasico-tonique

Reprenons point par point les trois principes physiologiques que nous venons de décrire.

Dans le 1ᵉʳ groupe intéressant l'analytique du mouvement, nous pouvons avancer les schémas suivants :

DANS LE SYSTÈME DROIT :

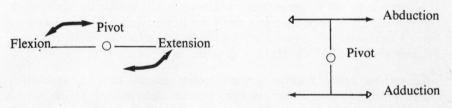

DANS LE SYSTÈME CROISÉ :

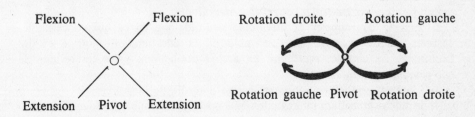

L'ensemble de ces deux schémas induit le mouvement combiné de *spirale-diagonale globale* ou de *spirale-diagonale analytique*.

AU NIVEAU DES MEMBRES, c'est le système croisé qui nous impose le schéma suivant à travers la notion d'agonisme et d'antagonisme musculaire :

Agonisme : Flexion - Adduction - Rotation Interne,

Antagonisme : Extension - Abduction - Rotation Externe.

Avec les deux précisions suivantes :

— Pour le membre supérieur, flexion et rotation interne se complètent ; adduction et rotation interne s'associent.

— Pour le membre inférieur, extension et rotation externe se complètent ; abduction et rotation externe s'associent.

AU NIVEAU DU TRONC ET DU COU, l'utilisation du système croisé nous impose l'application des lois de Lowett et Fryette en fonction des pivots vertébraux.

Positionnement vertébral en E.R.S. : Extension - Rotation - Side-bending, ou en F.S.R. : Flexion - Side-bending - Rotation.

Dans le 2ᵉ groupe intéressant la technique organique de l'équilibre, il importe de rechercher à l'aide du système croisé la meilleure *facilitation proprioceptive*.

La libération des fascias sera d'autant mieux obtenue que le *moyen musculaire* sera correctement utilisé.

L'action musculaire mécanique doit être « supportée » par les interactions entre les muscles des plans profonds et du plan superficiel ainsi que celles plus spécifiques des leviers en ce qui concerne le pivot ou la structure rigide sur lesquels elle agit. Cette même action musculaire devra employer à bon escient le contingent de fibres toniques ou phasiques nécessaires à la bonne utilisation du mouvement.

Dans le 3ᵉ groupe intéressant plus précisément le côté qualitatif et quantitatif de l'utilisation du moyen musculaire, c'est ce que nous nommons la *séquence d'action thérapeutique* qui intervient. Elle se définit en six points :

— Montrer le mouvement ; c'est l'image visuelle spatio-temporelle,

— Faire faire le mouvement passivement : c'est le « guidage » proprioceptif,

— « Demander » activement l'exécution du mouvement *avec* une aide,

— « Demande » active du mouvement *sans* aide,

— Correction éventuelle de ce mouvement actif sans aide,

— Utilisation associée des techniques de relâchement et de renforcement musculaire.

Relâchement : Tenir - relâcher

Contracter - sans mouvement - relâcher

Résister - avec mouvement - relâcher

Renforcement : Résistance statique

- au départ du mouvement

- en milieu de mouvement

- à l'arrivée du mouvement

Résistances dynamiques progressives

Pour clore ces précisions intéressant l'intervention du système croisé dans notre thérapeutique associée, il nous faut dire que les « chaînes » musculaires seront volontairement simplifiées.

L'apport thérapeutique doit être complémentaire.

Nous n'insisterons jamais assez sur le facteur mouvement, mais aussi sur « l'équilibre » dans le choix des chaînes musculaires croisées ; surtout s'il y a recherche d'amélioration du relâchement ou du renforcement des « moyens » profonds et superficiels. Le côté « schématique » de notre utilisation du système croisé est évident. C'est le côté nécessaire à la bonne marche mécanique des pivots qui reste notre but.

Notre finalité thérapeutique concrète en ce qui concerne l'utilisation du système croisé en thérapeutique associée, sera de proposer au sujet la ou les *postures actives* appropriées en relation avec les corrections et les ajustements ostéopathiques des pivots que nous aurons effectués.

LE SYSTÈME DROIT - DESCRIPTION GLOBALE

Malgré notre non-utilisation de ce système en ce qui concerne les pivots vertébraux, nous nous devons, encore une fois, de ne pas le délaisser car il conserve toute son importance dans l'ergonomie humaine.

Mais nous répétons que notre propos est l'utilisation d'une thérapeutique associée au traitement des pivots et nous préconisons, dans ce but, l'utilisation du système croisé ou mieux, certaines de ses possibilités myo-fasciales.

Le système droit présente une « composition musculaire » parfaitement connue. Elle permet, comme nous l'avons dit, toutes possibilités au corps de *réagir* statiquement et dynamiquement à l'action gravitaire.

Le système droit permet, à l'aide d'un autograndissement, d'assurer l'équilibre du corps par sa seule présence et ceci malgré le fait que plus l'érection est accentuée, plus l'action de la pesanteur se focalise en un centre de gravité situé dans un polygone de sustentation plus réduit.

C'est au niveau du système droit que l'activité tonique posturale est indispensable.

Il se compose :

Dans sa partie antérieure, de bas en haut :

— des muscles du plancher et du diaphragme périnéal ;
— des muscles grand droit de l'abdomen ;
— des muscles triangulaires du sternum ;
— on se doit de leur associer le diaphragme par son action de maintenance tonique de la masse viscérale, ainsi que la pression intrathoracique, elle-même sollicitée n° 1 des afférences internes de maintenance de la lutte antigravitaire

statique. Les relations diaphragme-muscle transverse de l'abdomen sont bien connues, bien définies et au cœur de ce problème ;

— de la parfaite synergie droite-gauche des muscles fléchisseurs du cou et de la tête.

Dans sa partie postérieure, toujours de bas en haut :

— des muscles fixateurs du bassin au sol par l'intermédiaire des chaînes musculaires des membres inférieurs,

— des muscles érecteurs de la colonne lombaire et, en particulier du puissant carré des lombes,

— du muscle épi-épineux aidé de la masse sacro-lombaire et du long dorsal ainsi que des sur-costaux au niveau de la cage thoracique,

— de l'action synergique parfaite droite-gauche des petits dentelés postéro-supérieurs et postéro-inférieurs,

— du muscle transversaire épineux et son action de *vigilance du bon positionnement vertébral postérieur.*

Il importe de préciser le rôle des membres dans l'utilisation du système droit.

En ce qui concerne les membres inférieurs, nous insistons sur le fait que nous les considérons, le corps en position érigée. Leur rôle est alors de *fixer* le tronc au sol. Le corps en position horizontale présente pour nous infiniment moins d'intérêt.

Les membres supérieurs présentent par contre, une utilité complémentaire très importante pour le système droit. Dans ce rôle, le *relais structurel* du système myo-fascial sera constitué par les apophyses coracoïdes en avant, elles-mêmes fixées postérieurement par l'action des muscles omo-vertébraux sur l'omoplate.

Ce relais structurel conditionne l'utilisation musculaire de la ceinture scapulaire *avant* le membre supérieur proprement dit.

Il faut citer dans ce rôle :

— le muscle petit pectoral en avant,

— les muscles rhomboïde et trapèze, inférieur surtout, en arrière.

Il importe aussi d'apporter certaines précisions concernant le segment cervico-céphalique.

Dans le plan antérieur, une condition importante est requise pour le bon fonctionnement du système droit : c'est l'utilisation correcte de *la poulie de rappel représentée par l'os hyoïde.*

Entrent en jeu les muscles sus-hyoïdiens : digastrique, génio-hyoïdiens et les muscles sous-hyoïdiens : sterno-thyroïdiens, sterno-cléido-hyoïdiens et omo-hyoïdiens.

Dans le plan postérieur, il importe que les « moyens musculaires » permettent *le meilleur équilibre céphalique possible* dans tous les plans (levier inter-appui de la tête).

Entrent en jeu les muscles érecteurs du rachis dorso-lombaire pour une fixation adéquate du socle de la colonne cervicale, c'est-à-dire la cage thoracique (utilité du diaphragme). Ce sont les muscles long dorsal et masse sacro-lombaire ainsi que l'épi-épineux.

Plus spécifiquement au niveau cervical postérieur nous avons :
— les muscles grand et petit complexus,
— les muscles transversaire du cou,
— les muscles splénius capitis.

Il importe d'y associer dans certaines conditions les angulaires de l'omoplate.

L'action des scalènes et des sterno-cléido-mastoïdiens est plus particulière des positions extrêmes ; de verrouillage de la lordose cervicale par exemple.

Au niveau de la tête elle-même, les muscles moteurs de la mâchoire inférieure font partie du système droit. Ce sont les muscles temporaux aidés des ptérygoïdiens et les muscles masseters.

Enfin, nous devons ajouter que le cardan occiput - C 1 - C 2 possède ses propres systèmes droit et croisé constitués des muscles verniers sous-occipitaux. C'est au niveau du système croisé, comme nous le verrons plus loin, que toute leur importance nous intéresse en fonction des pivots.

LE SYSTÈME CROISÉ - DESCRIPTION GLOBALE

L'interaction des systèmes droit et croisé est évidente. Il ne viendrait à l'idée de personne de croire par exemple, que le système croisé n'a cure de phénomène d'autoredressement du système droit pour fonctionner. De même, si le système croisé permet l'utilisation dynamique fondamentale de l'ergonomie humaine, il permet à ce titre, au système droit, une autonomie indispensable.

Nous devons de toute manière, considérer le système croisé comme utilisant l'orthogonalité des trois plans de l'espace et surtout le phénomène mécanique associé des trois mouvements analytiques combinés. Nous en arrivons à définir cette combinaison de mouvement par un mot particulier : le vrillage.

Le vrillage correspond à un mouvement hélicoïdal de torsion sur un axe spécifique. Dans le système croisé, cet axe est situé dans un plan résultant des trois plans orthogonaux de l'espace : plan horizontal, plan vertical, plan frontal.

Cet axe sera donc oblique « au travers » du tronc. Il est courant de lui donner comme repère anatomique : *l'articulation scapulo-humérale* d'un côté et *l'articulation coxo-fémorale* du côté opposé.

Le tronc possède donc *deux axes de torsion hélicoïdale.*

Il apparaît que ces deux axes se croisent au niveau du centre de gravité du corps en regard de notre pivot vertébral L 3.

Il importe de préciser que, dans notre optique, le système croisé comprend non seulement celui du tronc que nous venons de définir, mais auquel nous devons adjoindre l'influence des membres supérieurs et inférieurs et l'influence d'un système croisé très spécifique : le système croisé cervico-céphalique.

Nous allons énumérer les différents « moyens » musculaires affectés à chacun d'eux.

En ce qui concerne *le système croisé tronc-membres*, nous avons :

— dans un plan profond : les muscles petit oblique, carré des lombes (fibres lombo-costales), petit dentelé postéro-inférieur et les inter-costaux profonds d'un même côté ;

— dans un plan superficiel : les muscles grand oblique, carré des lombes (fibres ilio-lombaires), les intercostaux superficiels, le petit dentelé postéro-supérieur d'un même côté (fig. 33).

Si l'on adjoint l'influence des membres supérieurs et inférieurs *avec* le relais des ceintures scapulaire et pelvienne, nous trouvons :

— avec la ceinture pelvienne et le membre inférieur :

   . le psoas,

   . le grand fessier et le tenseur du fascia-lata,

   . le petit fessier, les adducteurs petit et moyen, et le pyramidal,

— avec la ceinture scapulaire et le membre supérieur :

   . le grand pectoral, le petit pectoral et le triangulaire du sternum en avant,

   . le rhomboïde, les trapèzes moyen et inférieur, le grand dentelé et le grand dorsal, en arrière.

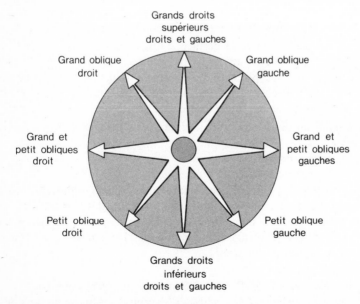

FIG. 33. — *Étoile de Grossiord.* C'est un exemple type du système croisé myo-fascial. Prédominance de l'action des muscles du tronc par rapport à l'ombilic, point de convergence superficiel antérieur des actions myo-tensives croisées.

Il faut remarquer que, si les « moyens » myo-fasciaux profonds « répondent » au centre de gravité du corps en ce qui concerne le vrillage, c'est l'ombilic qui est le carrefour et la résultante des lignes de force myo-fasciales des « moyens » plus superficiels (Busquet, 1982).

En ce qui concerne *le système croisé cervico-céphalique*, l'adaptation permanente et indispensable de la tête aux trois sollicitations majeures :
— horizontalité du regard,
— réponse à l'équilibration nécessaire demandée par l'oreille interne,
— réponse aux informations proprioceptives extrinsèques (cutanées plantaires en particulier),
nécessite l'utilisation d'un système croisé spécifique.

C'est pour nous *le système croisé majeur* de tout l'ensemble myo-fascial du corps humain.

Une certaine indépendance, plus ou moins importante suivant les diverses sollicitations ci-dessus citées, permet de dire que tout demande « situationnelle » dans l'espace va nécessiter l'utilisation du levier cervico-céphalique pour adapter, compenser, équilibrer en quelque sorte, les différentes autres masses en mouvement du corps humain (tronc, membres), afin de lui permettre la meilleure réponse possible à l'action gravitaire.

Il existe pour nous trois « rotules » mécaniques permettant l'utilisation correcte du système croisé cervico-céphalique :
— le cardan occiput atlas-*axis*,
— le pivot $C\,5$,
— la poulie de rappel antérieure, représentée par l'os hyoïde.

La forme même de l'os hyoïde permet de dire qu'il ne sert que peu au système croisé. En effet, concave en arrière, il protège *dans un plan sagittal* trachée et œsophage, et il doit les protéger suffisamment pour éviter les compressions (strangulation en particulier) que les torsions et adaptations simultanées dans les trois plans de l'espace risquent de créer.

Point convergent des forces *protégeant* la gorge, ses « moyens » myo-fasciaux propres sont :
— les muscles omo-hyoïdiens,
— les muscles stylo-hyoïdiens.

Si l'os hyoïde intervient presque exclusivement dans l'utilisation du système droit cervico-céphalique avec une synergie importante des muscles moteurs — et fixateurs — de la mâchoire inférieure, les deux autres « rotules mécaniques » sont bien C 2 et C 5, pivots vertébraux dont l'utilisation par les « moyens » myo-fasciaux est absolument nécessaire.

Ces moyens sont :
— les muscles sterno-cléido-mastoïdiens dans un plan superficiel,
— les muscles scalènes et les muscles « verniers » sous-occipitaux dans un plan plus profond.

L'action des scalènes est un peu particulière en ce sens qu'ils sont les garants de la maintenance lordotique nécessaire de la colonne cervicale. Certains les ont nommés les « psoas cervicaux ».

C'est postérieurement que leur action dans les trois plans orthogonaux de l'espace est aidée :
— dans le plan frontal par l'action multifide des muscles transversaires du cou,
— dans le plan sagittal par l'action largement sécurisante des muscles grand complexus,
— dans le plan horizontal par l'action mécanique antagoniste de torsion des muscles splénius coli et splénius capitis.

Le complexe cervico-céphalique, posé sur le *socle thoracique*, présente donc une originalité de dépendance de l'ensemble du système croisé myo-fascial du corps humain.

L'adaptation oculo-céphalogyre est bien certainement sous la dépendance de l'action conjuguée plus spécifique des muscles scalènes *et* sterno-cléido-mastoïdiens, en ce qui concerne l'ensemble du levier cervico-céphalique ; alors que les muscles verniers sous-occipitaux ont une particularité propre :
— d'une part, ils permettent les relations adaptatives les plus subtiles de la boucle oculo-motrice avec le système croisé des muscles moteurs de l'œil ;
— d'autre part, ils présentent une très importante sensibilité aux sollicitations proprioceptives des informations cutanées et positionnelles articulaires du corps. Enfin, ils « contrôlent » la vascularisation céphalique et protègent le bulbe rachidien en étant les *garants actifs* du cardan cervico-céphalique.

INCIDENCES PHYSIOPATHOLOGIQUES
DU SYSTÈME CROISÉ SUR LES PIVOTS

Nous n'entrerons pas dans les descriptions des Incidences du Système Droit sur les pivots pour les raisons que nous avons déjà énoncées. Nous ne les négligeons en aucune manière mais nous nous tenons *à notre optique de l'utilisation du système croisé, en vue d'une thérapeutique associée au traitement ostéopathique des pivots*.

Il apparaît que plusieurs précisions fondamentales doivent être énumérées et développées un minimum.

Deux problèmes particuliers se posent avec l'utilisation :
— du système podal,
— du levier cervico-céphalique.

Nous devons les intégrer dans l'utilisation globale du « vrillage » myo-tensif ; *actif* s'il y a « travail » personnel du sujet ; *passif* si c'est une action purement posturale qui est choisie thérapeutiquement.

Nous savons que les axes croisés sur lesquels vont s'effectuer ces vrillages
— et contre-vrillages — myo-fasciaux sont directement en rapport avec le centre
de gravité du corps, en avant du pivot L 3 (ou mieux de l'espace L 3 - L 4).

L'action myo-tensive doit se prolonger selon nos axes longitudinaux croisés à
l'aide des leviers représentés par les membres, supérieurs vers le haut, inférieurs
vers le bas.

Nous pensons que les prémisses de cette thérapeutique associée au traitement
ostéopathique des pivots doivent s'effectuer *sans* l'action de la pesanteur ; ceci
en tant qu'apprentissage de la technique. Les règles de rotations et contre-
rotations des membres sont ainsi beaucoup mieux intégrées.

C'est lorsque le travail postural vertical va entrer en jeu, que l'utilisation
propulsive du segment podal (nous gardons notre optique dynamique de déplacement vectoriel) et l'action véritablement « équilibratrice » du segment cervico-
céphalique vont alors intervenir réellement et prendre toute leur valeur.

Un autre impératif de notre utilisation du système croisé fait état de l'action
physiologique de ce que nous avons répertorié à propos du « moyen » myo-
fascial mis en jeu. A ce titre, l'opposition des rotations choisies des membres
doit respecter systématiquement le principe même du vrillage.

Concrètement, les « oppositions » : flexion, adduction, rotation interne,
doivent contrebalancer extension, abduction, rotation externe ; l'utilisation d'un
moyen myo-tensif profond doit être contrebalancée par celle d'un superficiel ; la
régulation tonique posturale d'équilibration doit être assurée en même temps
que les moyens myo-tensifs dynamiques entrent en jeu... (voir Généralités de ce
chapitre).

Il reste bien entendu évident que chaque cas est particulier et que la « recette »
thérapeutique ne peut avoir pour nous droit de cité. La réflexion personnelle
doit toujours primer l'utilisation thérapeutique, arme de la compétence acquise.

Reprenons point par point les problèmes particuliers posés.

L'ensemble podal (fig. 34)

Il présente en effet quelques particularités. En ce qui concerne le système
droit, il intervient pour nous dans le plan frontal.

En effet, c'est l'équilibre latéral de l'appui qui est en jeu autour de l'axe de
Henke, même si celui-ci n'est pas situé très exactement dans un des plans
orthogonaux de l'espace. (L'axe de Henke est plutôt situé dans un plan
« résultant » — 45° environ sur le plan horizontal — des 3 autres plans de
l'espace).

Les muscles intéressés seront :
— les jambiers en dedans,
— les péroniers en dehors.

Ceux-ci, par le jeu agoniste - antagoniste, maintiennent d'abord la stabilité du
pied.

Ils participent, certes, à ses possibilités dynamiques mais ne font pas partie

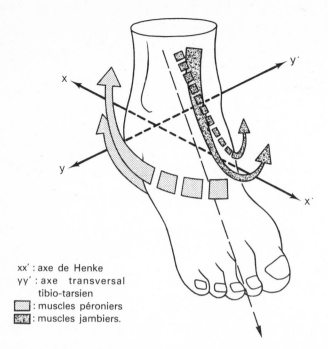

xx' : axe de Henke
yy' : axe transversal
tibio-tarsien
▨ : muscles péroniers
▨ : muscles jambiers.

FIG. 34. — *Les équilibrateurs latéraux du pied.* Activité tonique posturale d'équilibration.

intégrante du *système propulseur du pied, véritable système croisé à ce niveau* (fig. 35).

Les muscles intéressés sont :

— le triceps sural, propulseur varisant du pied qui « maintient » l'appui talonnier postéro-externe lors de l'attaque du pas,

— le court fléchisseur plantaire, « continuant » structurellement sous la voûte plantaire l'action d'abaissement du pied contre le sol, en y « prenant appui » propulsif.

Le court fléchisseur plantaire « oriente » son action vers les 4 derniers orteils, c'est-à-dire de dedans en dehors.

Pour contrebalancer cette action en dehors, nous avons en dedans, le long fléchisseur propre du gros orteil.

C'est un des muscles les plus importants de l'équilibration dynamique humaine. Il termine la propulsion du pied en dedans. C'est lui qui assure, à la fois, la dérotation de l'avant-pied sur l'arrière-pied lors du déroulement du pas et l'équilibre longitudinal de l'appui podal qui va intéresser l'équilibre entier du corps en multipliant les afférences proprioceptives.

L'action synergique *croisée* du court fléchisseur plantaire et du long fléchisseur propre du gros orteil représente pour nous le système croisé propulseur du pied.

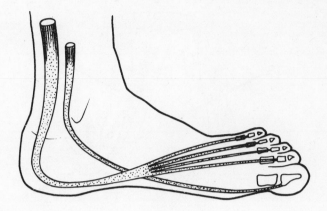

Fig. 35. — *Activité phasique dynamique de propulsion du pied.* Le système propulseur du pied :
— fléchisseur postérieur du pied sur la jambe = triceps sural ;
— fléchisseur plantaire des orteils = court fléchisseur des orteils ;
— fléchisseur propre du gros orteil.

L'intrication est évidente entre le système droit équilibrateur et le système croisé propulseur. Le premier intéresse surtout la statique du pied ; le second son aspect dynamique et phasique.

Il importe de préciser que l'action très importante du long fléchisseur propre du gros orteil est aidée par une bonne statique interne de l'avant-pied. C'est l'appareil musculo-ligamentaire sustentateur - équilibrateur de l'avant-pied qui l'assure (fig. 36).

Le système croisé du segment cervico-céphalique

Il présente lui aussi quelques particularités intéressantes.

Si nous considérons l'« utilisation des « leviers membres » indispensables pour que le système croisé ait toute son efficacité, nous avons constaté que le levier cervico-céphalique était également pour nous absolument nécessaire à ce même système croisé.

En effet, dans la mesure où nous restons très attachés à la notion de lésion totale, il nous importait de rechercher une posture totale d'utilisation de ce système croisé et ce, malgré la non-dépendance directe que peut avoir le segment cervico-céphalique. Lui-même est d'ailleurs facilement « divisable » en : segment céphalique pur, directement dépendant du cardan occiput C 1 - C 2, et segment cervico-céphalique global si l'ensemble du segment en question « répond » directement à la demande dynamique induite sur son socle thoracique.

En conséquence nous inclurons toujours, dans nos techniques de thérapeutique associée au traitement des pivots, le segment cervico-céphalique.

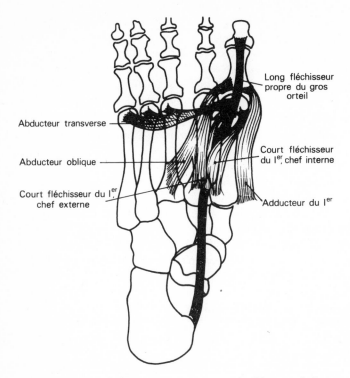

Long fléchisseur propre du gros orteil

Abducteur transverse

Abducteur oblique

Court fléchisseur du Ier, chef interne

Court fléchisseur du Ier, chef externe

Adducteur du Ier

FIG. 36. — *Appareil musculo-ligamentaire sustentateur-équilibrateur de l'avant-pied.*

Par contre, si l'induction globale doit suivre les règles de mobilité vertébrale classique selon les lois de Fryette, nous porterons un soin plus particulier au cardan cervico-céphalique occiput C 1 - C 2, dans la mesure où nous incluons la notion fondamentale de synergie physiologique des muscles moteurs oculaires et des muscles verniers.

C'est une concrétisation de l'utilisation par l'organisme de la boucle oculo-motrice. Nous suivrons les données théoriques de Piret et Béziers, de multiples fois concrétisées et vérifiées par tous, d'une *succession d'adaptations hélicoïdales inter-dépendantes de chaque segment formant le système croisé.*

Le système croisé au niveau du tronc aura donc son « prolongement hélicoïdal », non seulement vers chacun des membres opposés intéressés, mais aussi vers le segment cervico-céphalique afin de réaliser ce que nous avons nommé : **la posture totale** par analogie avec la notion de lésion totale, comme nous l'avons énoncé plus haut.

Il est bien entendu que l'utilisation de cette « posture totale » ne sera faite qu'*après une « normalisation » très soigneuse des pivots.* Il serait en effet aberrant d'utiliser le « moyen myo-fascial » sans en avoir les possibilités mécaniques articulaires.

Enfin, comme nous l'avons également déjà dit, nous exclurons dans un premier temps la pesanteur, pour ensuite créer certains déséquilibres où la proprioceptivité sera exacerbée et arriver enfin à la position verticale de déambulation vectorielle, concrétisée par la marche.

C'est à ce stade du traitement que le segment podal doit intervenir dans toute sa force et sa rigueur pour un maximum d'efficacité indispensable.

Reprenons l'analyse sommaire du système croisé cervico-céphalique.

En ce qui concerne le segment purement cervical,
— le plan superficiel comprend :
. les sterno-cléido-mastoïdiens en avant,
. les angulaires de l'omoplate en arrière ;
— le plan profond comprend :
. les scalènes antérieurs, moyens et postérieurs en avant et latéralement,
. les complexus latéralement,
. le sacro-lombaire cervical et le transversaire du cou en arrière.

Il importe de ne pas oublier les splénius si l'on considère l'action musculaire dans le plan horizontal (couplés avec les angulaires).

En ce qui concerne la charnière cervico-céphalique occiput C 1 - C 2, sont intéressés parmi les muscles verniers :
— petits et grands obliques en tout premier lieu,
— grand droit et petit droit postérieurs, si leur action se conjugue avec les sterno-cléido-mastoïdiens.

Ce sont les mouvements adaptatifs de side-bendings et de rotations qui sont les plus intéressés par cette synergie, pour permettre au crâne de répondre aux sollicitations extrinsèques.

(Dans le système droit, les muscles moteurs de la mâchoire inférieure et les muscles hyoïdiens se conjuguent avec une action plus simultanée de l'ensemble du système musculaire cervical afin d'assurer les différents mouvements adaptatifs du crâne dans le plan sagittal).

Il faut savoir que le travail musculaire superficiel est souvent « assuré » ou consolidé par l'action conjointe du travail musculaire profond. C'est surtout l'action des scalènes — psoas cervicaux — qui permet à la lordose cervicale physiologique toutes ses possibilités.

L'ensemble réalise une bio-mécanique très subtile que le déplacement vectoriel de la marche *« commande et subit »* tout à la fois.

Il reste à associer à ce système croisé cervico-céphalique l'action synergique très importante des muscles moteurs oculaires.

Ceux-ci interviennent en couplage contro-latéral avec les muscles verniers, ou homolatéral en fonction de certaines variations adaptatives personnelles. Il est utile d'effectuer un examen spécifique afin d'utiliser la bonne séquence thérapeutique.

A partir de ces dernières considérations physiologiques, nous pouvons répertorier sur chaque pivot vertébral l'action du système croisé myo-fascial. Cette vue globale et schématique de la question doit cependant pouvoir servir à une utilisation simplifiée du système croisé associée à une thérapeutique spécifique ostéopathique des pivots.

Système croisé myo-fascial et pivot C 2. — C 2 est la « clef du cou ». C'est aussi le pivot directeur de la « boule crânienne ». A ce titre, la position du système croisé la plus en cause au niveau de C 2 sera celle des muscles verniers, en relation directe avec l'oculo-motricité.

Les muscles verniers intéressés seront :
— le grand droit postérieur de la tête,
— le grand oblique de la tête.

De plus,
— splénius coli et angulaires de l'omoplate, en arrière,
— long du cou en avant,
permettent un « lien musculaire » direct entre le pivot C 2 et le socle thoracique.

Il importe de ne pas omettre l'action des muscles profonds petit droit antérieur et petit droit latéral qui concourent à la meilleure adaptation possible du cardan occiput C 1 - C 2.

Il va sans dire que tous les muscles moteurs du segment céphalique qui ont leurs insertions directes sur ce même segment céphalique mettront à contribution l'action physiologique du pivot C 2.

Système croisé myo-fascial et pivot C 5. — Un muscle est pour nous très directement intéressé pour l'utilisation du pivot C 5 : c'est le muscle grand complexus. Garant et protecteur de la région cervicale haute, il permet à cette même région toute possibilité mécanique *sur* le pivot C 5. Celui-ci « supporte » le demi-arc cervical supérieur et le crâne.

Il importe aussi de considérer le muscle droit antérieur de la tête, plan profond musculo-fascial de la position antérieur du cou, qui solidarise les corps vertébraux des premières vertèbres cervicales jusqu'à C 5.

Enfin les scalènes assurent la liaison myo-fasciale dynamique de l'arc cervical moyen avec le socle thoracique, et sont aidés par tout l'appareil musculaire superficiel, sterno-cléido-mastoïdiens, trapèzes, extenseurs du cou...

Système croisé myo-fascial et pivot D 3 - D 4 - R 4. — Pivot supérieur du tronc, influencé par le levier représenté par la quatrième côte, le pivot D 3 - D 4 - R 4 fait la transition mécanique entre, d'une part, le socle thoracique, et d'autre part, l'adaptation de la masse thoracique par rapport aux autres masses du corps en accord avec les lignes de force A.P., P.A. et la ligne de gravité.

C'est au niveau du pivot D 3 - D 4 - R 4 que « s'articule » tout le travail myo-fascial du membre supérieur. Ainsi, le positionnement postural d'un membre supérieur, en accord avec le travail myo-fascial du tronc, influence ce pivot et tout à la fois *dépend* de la valeur mécanique de ce même pivot.

Il importe également de tenir compte de la mécanique respiratoire agissant électivement sur un de ses composants : la quatrième côte.

Celle-ci sera en position inspiratoire lors de l'élévation antérieure du membre supérieur homolatéral, et en position expiratoire lors de la rétropulsion de l'autre membre supérieur contro-latéral.

Système croisé myo-fascial et pivot D 9. — Vertèbre mécaniquement autonome, D 9 sera toujours impliquée dans l'utilisation même partielle du système croisé myo-fascial.

D 9 est très tributaire des muscles obliques par l'intermédiaire de leurs insertions costales et ces derniers sont l'un des moteurs de toute l'adaptation du tronc aux sollicitations du déplacement vectoriel. La mécanique diaphragmatique influence elle-même le rôle mécanique de D 9.

Système croisé myo-fascial et pivot L 3. — Résultante du système croisé « supérieur » et du système croisé « inférieur », L 3 est pour nous, le point de convergence hélicoïdal du mouvement global. (L 3 reste le centre de gravité myo-fascial profond, équilibrant le centre de gravité myo-fascial superficiel au niveau ombilic).

C'est au niveau de L 3 que l'intrication musculaire, tant postérieure qu'antérieure, affirme la mécanique-pivot de cette vertèbre.

Sommet supérieur du petit triangle inférieur L 3-acétabulums droit et gauche, c'est au niveau du pivot L 3 que l'utilisation du psoas homolatéral va permettre l'adaptation myo-fasciale dynamique du membre inférieur en cause.

Système croisé myo-fascial et pivot ilio-lombo-sacré. — C'est au niveau de ce pivot ligamentaire que le système myo-fascial postérieur du membre inférieur va être le plus utilisé (fessiers, pyramidaux).

L'action proprioceptive d'information est ici d'une extrême importance.

Étant le garant de l'intégrité discale, particulièrement exposée (voir la clinique), le pivot ilio-lombo-sacré va être aussi le garant d'une utilisation correcte du système croisé myo-fascial ; la notion de vrillage du bassin doit être corrigée par une posture adaptative contraire pour limiter les risques informationnels faussés par l'action gravitaire lors du déplacement vectoriel en position érigée ; le pivot ilio-lombo-sacré *supporte* en effet tout l'ensemble vertébral.

PROPOSITIONS D'UNE UTILISATION DU SYSTÈME CROISÉ EN THÉRAPEUTIQUE ASSOCIÉE AUX PIVOTS

Les trois positions de base utilisables seront :
— décubitus,
— position assise,
— position debout.

Dans chacune d'elles, la recherche de la posture totale déjà suggérée sera constante. Nous resterons volontairement le plus simple possible dans la posture choisie. C'est au thérapeute d'adapter chaque modification éventuelle en fonction de la clinique.

Lors de l'étude de la posture par le patient, le côté « aisé » sera utilisé en premier, le côté « correctif », après. Nous suivrons le protocole d'apprentissage de cette technique que nous avons déjà avancé :

— « Montrer » la posture.

— Exécuter passivement le « mouvement postural ».

— Faire exécuter activement — avec aide du thérapeute — le « mouvement postural » pour une posture correcte la meilleure possible.

— Faire travailler activement — dans la position posturale réalisée — les groupes musculaires déficitaires afin de recréer proprioceptivement parlant l'équilibre myo-fascial. Ce sera la phase de recherche de « tonification » du système croisé.

Il importe que *la* racine nerveuse impliquée soit utilisée dans toute ses possibilités neurologiques.

Posture en décubitus

Le décubitus dorsal est de loin le plus utilisé.

— Au niveau du membre inférieur cliniquement choisi, mise en tension du psoas associée à une flexion de la cuisse sur le bassin du côté opposé.

— Abduction ou adduction du membre inférieur en extension (rectitude) couplée à une rotation interne ou externe.

— Association au niveau du pied de l'utilisation de ses trois axes fonctionnels :

    . axe tibio-tarsien : flexion plantaire ou flexion dorsale du pied,

    . axe de Henke : éversion ou inversion du pied,

    . axe métatarso-phalangien : flexion dorsale ou flexion plantaire des orteils.

— Le tronc sera positionné en side-bending et rotation.

— Le membre supérieur opposé suivra la position inverse du membre inférieur choisi.

— Le segment cervico-céphalique suivra le positionnement du membre supérieur, ou l'opposé, suivant le constat clinique.

Nota. — Les mises en posture des très importants muscles ischio-jambiers excluent l'action sur le psoas, mais non le positionnement postural du tronc, du membre supérieur et du segment cervico-céphalique.

Le positionnement en décubitus ventral intervient plus électivement dans les recherches de récupération des courbures physiologiques de la colonne vertébrale, en particulier de la nécessaire lordose lombaire à une bonne physiologie mécanique.

Posture « assise »

La proprioceptivité prend ici une grande importance par l'appui fessier que cette posture nécessite.

— Les muscles ischio-jambiers choisis seront posturés par l'extension du membre inférieur choisi. L'autre membre inférieur sera en flexion du genou avec appui du pied *à l'extérieur* du membre inférieur précédemment positionné en extension.

— Le tronc sera posturé en rotation opposée, ou du même côté suivant la clinique, au membre inférieur en extension.

— Le membre supérieur peut avoit deux positionnements :

. soit « aider » la rotation du tronc choisi avec une adduction et une rotation interne ou externe ;

. soit être positionné en abduction et rotation externe avec la main sur la nuque.

— Le segment cervico-céphalique se posture en position inverse de celle choisie pour le tronc ; il peut aussi être positionné fonctionnellement en fonction de la position choisie pour le membre supérieur. (Rotation de la tête du même côté du membre supérieur en abduction et rotation externe, ou du côté opposé si le membre supérieur est en adduction - rotation interne.)

Nota. — La posture totale en position assise doit toujours être associée à un travail expiratoire abdominal — synergie diaphragme transverse — afin de solliciter la tonicité profonde abdominale.

Posture « debout »

Elle devra préfigurer la correction vectorielle induite par la clinique. Elle suivra les mêmes principes que précédemment.

— Les appuis plantaires chercheront à augmenter relativement un polygone de sustentation « déformé » par la position antériorisée d'un pied par rapport à l'autre.

— Les rotations du tronc et du segment cervico-céphalique seront inversées.

— Le travail postural du membre supérieur est très important par la recherche « d'équilibre proprioceptif » qui lui est demandée.

5

SPÉCIFICITÉ PHYSIOPATHOLOGIQUE DE CHAQUE PIVOT VERTÉBRAL

TABLEAUX DES CORRESPONDANCES ANATOMO-PATHOLOGIQUES

Chaque pivot vertébral ou ligamentaire possède des propriétés mécaniques permettant un certain nombre de mouvements. Ces mouvements sont physiologiques. Il possède également un certain nombre de possibilités d'adaptation à une fonction propre ainsi que différentes facultés de compensation dans son utilisation par l'organisme, non seulement avec ses structures directement voisines, mais aussi avec celles de l'ensemble vertébral.

Nous verrons donc, pour chacun d'entre eux, ces différentes possibilités en éliminant ce qui est déjà parfaitement et minutieusement décrit par ailleurs mais en essayant de « cadrer » au maximum ce qu'il nous faut connaître pour une utilisation thérapeutique éventuelle des pivots.

La plupart des « correspondances » vertébro-viscérales sont répertoriées par les divers auteurs, comme dépendantes d'une ou de plusieurs « vertèbres ». Il nous importe de donner une précision anatomique évidente afin que certains non sens ne s'installent définitivement. En effet, ce ne peut être « la » vertèbre en elle-même qui intéresse la correspondance vertébro-viscérale, vertébro-musculaire ou encore métamérique, mais bien le trou de conjugaison entre deux vertèbres, à droite et à gauche.

C'est de là, bien sûr, que part le nerf intéressé avec ses composantes de fibres motrices sensitives et viscérales vers les ganglions paravertébraux, les noyaux gris et blancs, les plexus puis les viscères et les muscles...

C'est à ce niveau des trous de conjugaison que l'éventuel œdème, l'éventuelle réaction inflammatoire, dus à une mal-position articulaire entre deux vertèbres peut être modifiée soit par un traitement ostéopathique général, soit par un ajustement spécifique local.

Nous prendrons donc, quant à nous, la précaution de ne plus dénommer une vertèbre en rapport avec l'innervation correspondante, mais bien l'intervalle entre deux vertèbres. De même, nous répertorions sous forme de tableaux les relations entre racines nerveuses et innervations musculaires et articulaires.

De très nombreux auteurs, anatomo-physiologistes de renoms, nous citerons entre autres : Head, Ling, Hall, MacKenzie, Dejerine, Dana, Quinckee, Magoun, plus près de nous, Voisin, Mahieu, Jarricot et d'autres encore... ont laissé dans la littérature médicale des tableaux de correspondances dont nous nous sommes fortement inspirés pour établir notre propre « cartographie » en accord avec notre expérience personnelle. Nous vous la livrons avec toutes les réserves d'usage nécessaires.

Les interférences viscéro-vertébrales qui nous intéressent sont celles de chacun des pivots vertébraux.

CORRESPONDANCES VERTÉBRO-VISCÉRALES

Le cardan cervico-céphalique

Occ. C 1
cerveau - estomac - foie - pancréas - rate - poumons - thyroïde - oreilles - yeux - pharynx
C 1 - C 2
cerveau - yeux - nez - cœur - thyroïde - estomac - pancréas - poumons - reins - foie - rate - surrénales - canaux biliaires
C 2 - C 3
cerveau - cœur - larynx - thyroïde - yeux - nez - estomac - foie - rate - poumons - pancréas - surrénales

L'apex de mobilité cervicale

C 4 - C 5
cœur - pharynx - corps thyroïde - trachée
C 5 - C 6
cœur - pharynx - glandes mammaires - corps thyroïde - parathyroïdes

L'apex circulatoire

D 3 - D 4
cerveau - circulation générale - capsules surrénales - cœur - oreilles - estomac - foie - rate - glandes mammaires - hypophyse - corps thyroïde - vésicule biliaire - poumons
D 4 - D 5
cerveau - cœur - estomac - pancréas - rate - pilors - vésicule biliaire - glandes mammaires - poumons

L'apex vital

D 8   D 9 $\Big\{$ diaphragme - surrénales - reins - vésicule biliaire - intestins -
D 9   D 10   pancréas - dilatation aortique - vessie

Le centre de gravité du corps

L 2   L 3 $\Big\}$
                 cerveau - intestins - vessie - petit bassin - organes sexuels
L 3   L 4

Apex de stabilité

L 4   L 5 $\Big\{$ membres inférieurs - petit bassin - vessie - organes sexuels -
L 5   S 1   cerveau.

Occ. C 1. — Cerveau - Oreilles - Troubles vagaux (Σ et para Σ)

Toutes perturbations cérébrales, somnolence, lassitude, lourdeur et sensation de lourdeur du crâne, maux de tête quotidiens ou épisodiques, dépression nerveuse, irritabilité, asthénie, crises épileptiformes, neurasthénie...
Perturbations circulatoires périphériques de la tête et du cou ; rougissement de la face, des cavités nasales et buccales.
Vertiges, surdités, et pseudo-surdités.
Angine de poitrine.
Dilatation papillaire.
Augmentation de la lacrimalité.
Augmentation de la salivation.
Spasmes musculaires de la tête et du cou.
Torticolis. Céphalées.
Troubles oculaires.
Paralysies, parésies faciales. Tics de la face, du cou et des épaules.
Troubles de la fonction du diaphragme (stimulation).
Naupathie, migraines.
Troubles de l'estomac, du foie, du pancréas, du carrefour hépato-biliaire, de la rate.
Certains troubles pulmonaires.
Troubles thyroïdiens.
Névralgies cervico-occipitales.
Névralgies faciales.
Névrites et névralgies cervico-brachiales.
Fausse mastoïdite.
Stimulation du trijumeau.
Diminution de la résistance à l'infection.
Altération du tissu adénoïde.

C1 - C2. – Cerveau - Yeux - Troubles vagaux (Σ et para Σ)

Troubles oculaires, auditifs, nasaux.
Conjonctivites.
Augmentation de la salivation.
Augmentation de la lacrimalité.
Certains troubles cardiaques.
Perturbations cérébrales telles que : lassitude cérébrale, somnolence, états émotionnels, irritation, neurasthénie, crises épileptiformes, asthénies...
Tendance à l'infection de la sphère oto-rhino-laryngée.
Céphalées. Maux de tête quotidiens. Migraines.
Troubles de la fonction du diaphragme.
Angine de poitrine.
Paralysies et parésies faciales. Tics de la tête, du cou et des épaules.
Naupathie.
Troubles thyroïdiens.
Troubles de l'estomac, du foie, du pancréas, du carrefour hépato-biliaire, de la rate.
Certains troubles pulmonaires ⎫
Certains troubles cardiaques ⎭ association rénale.
Douleurs névritiques occipitales, brachiales, cervico-brachiales.
Spasmes de la tête et du cou. Torticolis.
Stimulation du nerf phrénique, du trijumeau, des glandes surrénales.
Névralgies cervico-occipitales, cervicales, cervico-brachiales.
Fausse mastoïdite.
Altération du tissu adénoïde.
Troubles des manifestations Σ et para Σ intéressés par le G.C.S.

C2 - C3. – Cerveau - Nez - Troubles vagaux (Σ et para Σ)

Perturbations cérébrales telles que : neurasthénie, maux de tête épisodiques, asthénies... états émotionnels, lassitude cérébrale.
Perturbations de la sphère nasale et du larynx.
Troubles cardio-pulmonaires, du péricarde.
Troubles de l'estomac, du foie, du pancréas, de la rate, du carrefour hépato-biliaire.
Congestion des muqueuses buccales et nasales, des yeux.
Augmentation de la salivation.
Infection des sinus, des amygdales, des oreilles.
Altération du tissu adénoïde.
Tendance à la nausée, aux migraines.
Gêne au niveau du phrénique. Hoquet.
Augmentation de la cadence respiratoire.
Augmentation des temps de réaction moteurs.
Excitation des glandes surrénales.

Névrites : brachiales.

Fourmillements doigts et mains.

Névralgies cervico-brachiales et cervico-occipitales.

Angine de poitrine.

Tics du visage, du cou et des épaules. Torticolis.

Parésies et paralysies faciales.

Parésies cutanées faciales. Névralgies faciales.

Fausse mastoïdite.

C 4 - C 5. — Thyroïde - Pharynx - Cœur - Membres supérieurs

Céphalgie, neurasthénie.

Troubles de la vasomotricité de la circulation cérébrale.

Baisse de la résistance à l'infection dans la zone céphalique.

Troubles cardio-pulmonaires. Irrégularité des rythmes.

Asthme bronchique.

Troubles du diaphragme.

Acidoses, réduction de la conductibilité nerveuse.

Nausée, fausse mastoïdite.

Augmentation du temps de réactions motrices.

Troubles de la sphère pharyngée. Laryngite.

Torticolis (C 5 est la vertèbre de la colonne cervicale la plus sujette aux phénomènes arthrosiques).

Névralgies et névrites cervico-brachiales. Torticolis.

Spasmes et atteintes scapulaires, du biceps, du triceps, du poignet.

Spasmes et atteintes de la tête, du cou, du coude.

Atteintes du nerf phrénique.

Atteintes musculaires (contractures) cervico-brachiale, acromiale, du rhomboïde, du circonflexe.

Parésies traumatiques du biceps brachial.

Disparition ou diminution des réflexes bicipital et styloradial.

Tous les troubles des manifestations Σ et para Σ intéressés par le G.C.M. (carotides).

C 5 -C 6. — Thyroïde - Pharynx - Cœur - Membres supérieurs

Troubles cardio-pulmonaires. Irrégularité des rythmes.

Névralgies des glandes mammaires.

Céphalgies. Neurasthénie.

Troubles de la vasomotricité cérébrale.

Migraines, nausées.

Troubles thyroïdiens. Acidose.

Troubles de la sphère pharyngée.

Tous les troubles des manifestations Σ et para Σ intéressés par le G.C.M.

Troubles des parathyroïdes.

Spasmes palmaires.
Spasmes intéressant le biceps, le triceps, le poignet.
Parésies et paralysies faciales.
Troubles du phrénique, du circonflexe, du diaphragme.
Spasmes et tics du cou, des épaules.
Parésies traumatiques du biceps brachial.
Torticolis.
Disparition ou diminution des réflexes bicipital et styloradial.
Névrites cervico-brachiales.
Parésies (anesthésie) de l'index, du médius.

D 2 - D 3. — Poumons - Cœur - Bronches

Troubles pulmonaires et bronchiques.
Maux de tête congestifs, troubles vaso-moteurs.
Circulation et toutes sécrétions affectées par contracture de la musculature cervicale et cervico-dorsale.
Troubles thyroïdiens (pâleur).
Diminution de la vagotonie.
Troubles de la dilatation cardiaque, diminution de l'efficience du muscle cardiaque. Pouls rapide.
Asthme cardiaque.
Diminution de l'immunité tissulaire.
États émotionnels, lassitude cérébrale, irritabilité, endormissement anormal.
Hyperplasie des tissus lymphoïdes affectant la sphère rhino-pharyngée (amygdales).
Ralentissement de l'activité des glandes mammaires.
Troubles oculaires (obscurcissement visuel, troubles de la couleur et de la vision).
Augmentation de la lacrimalité.
Incontinence d'urine.
Ralentissement hypophysaire.
Douleurs et spasmes pectoraux et de la région mammaire.
Douleurs et spasmes scapulaires et brachiaux.
Névralgies intercostales (2e et 3e nerf intercostal).
Lésion des 2e et 3e côtes (influence des scalènes) et chondro-costales.
Troubles circulatoires intéressant la nutrition tissulaire.

D 3 - D 4. — Circulation générale - Cœur - Poumons - Estomac

Troubles et déficiences de la circulation sanguine.
Déficiences de la circulation sanguine dans la sphère laryngée, le pharynx et le cou.
Troubles thyroïdiens (pâleur et hyperplasie).

Hyperplasie lymphoïde (amygdales, glandes).
Diminution de l'efficience mentale, endormissement anormal, irritabilité, états émotionnels.
Troubles pulmonaires et bronchiques.
Diminution de l'immunité pulmonaire.
Troubles du tonus et de l'efficience cardiaque (vitesse et force du pouls).
Diminution de la vagotomie.
Déficiences de la dilatation pupillaire et oculaire.
Augmentation de la lacrimalité.
Asthme cardiaque.
Diminution de la pression sanguine.
Congestion veineuse de la masse viscérale.
Troubles de l'estomac, du foie, de la vésicule biliaire, de la rate, de l'intestin grêle, du pancréas.
Hyperchlorhydrie stomacale.
Ralentissement du fonctionnement des glandes mammaires.
Ralentissement hypophysaire.
Névralgies scapulaires et inter-costo-humérales.
Névralgies pectorales.
Névralgies intercostales (3e et 4e nerf intercostal).
Lésions costales des 3e et 4e côtes et chondro-costales.
Lésions claviculaires et sterno-claviculaires.
Crises de coliques hépatiques.
Incontinence d'urine.
Troubles circulatoires intéressant la nutrition tissulaire.

D 4 - D 5. – Circulation générale - Cœur - Estomac
Troubles ou déficiences de la circulation sanguine.
États émotionnels. Diminution de l'efficience mentale.
Hyperplasie lymphoïde (amygdales, glandes).
Déficience de la circulation sanguine dans la sphère laryngée, le pharynx et le cou.
Troubles thyroïdiens (pâleur et surfonctionnement).
Troubles pulmonaires et bronchiques.
Diminution de l'immunité pulmonaire.
Troubles du tonus et de l'efficience cardiaque.
Hyperchlorhydrie, atonie et ptôse stomacales.
Congestion hépatique.
Troubles du carrefour hépato-biliaire, de la rate, du pancréas, de l'intestin grêle.
Perturbations des fonctions glycolitique et glycogénique.
Perturbations du fonctionnement des glandes mammaires.
Augmentation de la lacrimalité.
Déficience de la dilatation pupillaire et oculaire (correspondance D 4 - C 2).

Névralgies inter-costo-humérales.
Névralgies pectorales.
Névralgies intercostales (4e et 5e nerf intercostal).
Lésions costales des 4e et 5e côtes et chondro-costales.
Névralgies de la sangle musculaire abdominale haute.
Troubles circulatoires intéressant la nutrition tissulaire.

D 8 - D 9. — Diaphragme - Surrénales - Reins - Foie - Vésicule biliaire - Intestins - Dilatation aortique

Accroissement des vitesses du flux sanguin cardiaque.
Accroissement de la vitesse du rythme respiratoire.
Atonie et relaxation musculaire de la paroi abdominale.
Ptose abdominale.
Spasmes épigastriques. Gastrite. Dilatation stomacale.
Contrôle du réflexe vaso-moteur pour la vaso-dilatation.
Contrôle abdominal de la perturbation de la fonction du nerf grand splanchnique.
Hyperchlorhydrie. Hypochlorhydrie.
Congestion veineuse, foie, vésicule biliaire, pancréas, rate.
Glycogénie perturbée.
Abaissement de la pression sanguine abdominale et du tonus musculaire général.
Atonie intestinale. Diarrhée. Constipation.
Accroissement des risques de toxicité.
Abaissement de l'immunité. Fonction diminuée de la rate.
Rétention d'eau. Possibilité de cystite et d'hydrocèle.
Malabsorption nutritionnelle.
État dépressionnaire.
Congestion ovarienne ou testiculaire.
Circulation appauvrie des organes sexuels.
Névralgies intercostales basses.

D 9 - D 10. — Surrénales - Diaphragme - Foie - Pancréas - Reins - Vessie

Abaissement de la pression sanguine.
Abaissement de l'immunité.
Contrôle de la grande courbure et du fond de l'estomac.
Détresse épigastrique. Gastrite. Hyperchlorhydrie ou hypochlorhydrie.
Ptose abdominale.
Modifications vaso-motrices du pancréas et de la rate.
Dépression. Neurasthénie.
Congestion ovarienne et testiculaire.
Possibilité de cystite ou d'hydrocèle.

Péristaltisme diminué.
Hyperglycémie ; pré-diabète.
Congestion ou dilatation rénale.
Atonie intestinale.
Vulnérabilité appendiculaire.
Accroissement de la toxémie.
Ajustement spécifique côté droit : décongestion du système biliaire.
Névralgie abdominale pouvant être cause d'erreur en pathologie viscérale.
Névralgies intercostales basses.

L 2 - L 3. — Cerveau - Intestins - Vessie

Dilatation des vaisseaux sanguins intestinaux.
Abaissement du péristaltisme.
Constipation chronique. Diarrhée.
Congestion rénale.
Diminution de la fonction surrénalienne.
Incontinence d'urine.
Dilatation veineuse vésicale.
Diminution du tonus musculaire utérin.
Hémorragie profuse de la ménopause.
Ptose abdominale basse.
Hémorroïdes. Gaz.
Sciatalgie. Cruralgie. Lombalgie.
Action sur le plexus hypogastrique.
Kuatsu du cœur : pression forte ou percussion sur apophyse latérale de L 3.

L 3 - L 4. — Intestins - Vessie - Cerveau

Digestion.
Dilatation veineuse intestinale. Gaz.
Ptose abdominale. Action sur le côlon transverse.
Hémorroïdes et affections rectales.
Action sur le plexus hypogastrique. Spasmes.
Dilatation veineuse vésicale.
Action sur la miction.
Action sur la fonction prostatique.
Action sur les fonctions utérienne et ovarienne.
Congestion générale pelvienne. Œdème des membres inférieurs.
Risques abortifs.
Parturition.
Érection.
Début de la zone parasympathique inférieure.
Spasmes de la région lombaire.

Spasmes musculaires des membres inférieurs.
Sciatalgie. Cruralgie. Lombalgie.
Incontinence d'urine.

L 5 - S 1. — Membres inférieurs - Petit bassin - Vessie - Organes sexuels -
       Cerveau

Troubles de la défécation.
Troubles vésicaux.
Incontinence d'urine.
Troubles hypogastriques.
Spasmes de la région lombaire. Spasmes des abducteurs.
Spasmes musculaires des membres inférieurs.
Troubles de la miction.
Troubles de la prostate. Troubles vaginaux.
Sciatalgie. Lombalgie.
Action parasympathique.

PRINCIPALES CORRESPONDANCES NERVEUSES RADICULAIRES, MUSCULAIRES ET ARTICULAIRES

Occ. 1 Plexus cervical : Grand complexus du cou Occipito-atloïdiennes,
branche mastoïdienne Pré-vertébraux Intervertébrales C 1 - C 2
Petit droit
Grand droit
Petit oblique } du cou
Grand oblique

C 1 - C 2 Plexus cervical : Pré-vertébraux Intervertébrales C 1 - C 2
branche mastoïdienne Sterno-cléido-mastoïdien Intervertébrales C 2 - C 3
branche auriculaire Grand complexus
branche cervicale Petit complexus } du cou
transverse superficielle Grand oblique
Splénius
Trapèze supérieur

C 2 - C 3 Plexus cervical : Pré-vertébraux Intervertébrales C 2 - C 3
branche mastoïdienne Trapèze supérieur Intervertébrales C 3 - C 4
branche auriculaire Grand complexus Sterno-costo-claviculaires
branche cervicale Petit complexus } du cou
transverse superficielle Splénius
branche sus-clavi- Angulaire de l'omoplate
culaire Diaphragme
Phrénique

C 4 - C 5 Plexus brachial Angulaire de l'omoplate Scapulo-humérales
Circonflexe Petit complexus du cou Acromio-claviculaires
Radial Transversaire du cou Huméro-radiales du coude
Musculo-cutané : Grand dorsal Radio-cubitales supérieures
rameaux postérieurs Petit et grand rond Intervertébrales C 4 - C 5
du musculo-cutané Trapèze moyen Intervertébrales C 5 - C 6
de l'avant-bras Sous-clavier
Sous-scapulaire
Deltoïde
Coraco-brachial
Biceps
Brachial antérieur
Long et court supinateur
Scalènes antérieur, moyen,
postérieur
Grand et petit pectoral
Diaphragme
Grand dentelé
1er et 2e radial
Anconé

Muscles de la main
et des doigts
Extenseur commun des doigts
Extenseur propre du 5e doigt
Long abducteur du pouce
Long et court extenseur
du pouce
Extenseur propre de l'index

PRINCIPALES CORRESPONDANCES NERVEUSES RADICULAIRES, MUSCULAIRES ET ARTICULAIRES

C 5 - C 6 Plexus brachial	Petit complexus du cou	Acromio-claviculaires
Circonflexe	Transverse du cou	Intervertébrales C 5 - C 6
Musculo-cutané (avant-bras)	Grand dorsal	Intervertébrales C 6 - C 7
	Petit et grand rond	Scapulo-humérales
Radial	Trapèze moyen	Huméro-cubitales du coude
Médian	Scalènes antérieur, moyen, postérieur	Radio-cubitales supérieures
Innervation de la main	Sous-clavier	Radio-carpiennes
	Sous-scapulaire	Intercarpiennes
Médian : rameaux dorsaux et collatéraux palmaires	Deltoïde	Carpo-métacarpiennes ⎫
	Coraco-brachial	Inter- ⎬ palmaires
	Petit et grand pectoral	métacarpiennes ⎭
	Grand dentelé	Métacarpo-phalangiennes
	Biceps	Dorsales et palmaires
	Brachial antérieur	— pouce C 5 - D 1
	Long et court supinateur	— médium C 5 - D 1
	Rond et carré pronateur	— annulaire C 6 - D 1
	Petit et grand palmaire	
	1er et 2e radial	
	Anconé	
	Muscles de la main	
	Fléchisseur commun superficiel et profond (externe)	
	Abducteur	
	Fléchisseur propre ⎫	
	Opposant ⎬ du pouce	
	Long abducteur ⎪	
	Long et court extenseur ⎭	
	1er et 2e lombrical	
	Extenseur commun des doigts	
	Extenseur propre du 5e doigt	
	Extenseur de l'index	
D 2 - D 3 3e intercostal	Intercostaux	Intervertébrales D 2 - D 3
	Trapèze	Intervertébrales D 3 - D 4
	Petit dentelé supérieur	Costo-vertébrales
	Grand dorsal	Costo-chondro-sternales
	Épi-épineux	
	Long dorsal	
	Transversaire épineux	
D 3 - D 4 4e intercostal	Trapèze	Intervertébrales D 3 - D 4
	Grand dorsal	Intervertébrales D 4 - D 5
	Rhomboïde	
	Long dorsal	
	Épi-épineux	
	Transversaire épineux	
	Intercostaux	
	Sacro-lombaire	
D 4 - D 5 5e intercostal	Trapèze	Intervertébrales D 4 - D 5
	Grand dorsal	Intervertébrales D 5 - D 6
	Long dorsal	

PRINCIPALES CORRESPONDANCES NERVEUSES RADICULAIRES, MUSCULAIRES ET ARTICULAIRES

		Épi-épineux Transversaire épineux Intercostaux Sacro-lombaire	
D 8 - D 9	9e intercostal	Grand dorsal Trapèze Long dorsal Épi-épineux Transversaire épineux Masse sacro-lombaire Intercostaux	Costo-vertébrales 9e côte Intervertébrales D 8 - D 9 Intervertébrales D 9 - D 10 Chondro-costo-sternales
D 9 - D 10	10e intercostal	Grand dorsal Épi-épineux Long dorsal Transversaire épineux Masse sacro-lombaire Intercostaux	Costo-vertébrales 10e côte Intervertébrales D 9 - D 10 Intervertébrales D 10 - D 11 Chondro-costo-sternales

L 2 - L 3	Plexus lombaire
	Génito-crural
	Fémoro-cutané
	Crural : 4 branches
	  musculo-cutané externe
	  musculo-cutané interne
	  saphène interne
	  du quadriceps
	Fessier supérieur
		Tenseur du fascia-lata
		Couturier
		Quadriceps
		Droit interne
		Psoas iliaque
		Carré des lombes
		Pectiné
		Obturateur externe
		3 adducteurs
		Petit dentelé inférieur
		Long dorsal
		Transversaire épineux
		Épi-épineux
		Crémaster
		Masse sacro-lombaire
			Symphyse pubienne
			Articulations inter-
			  vertébrales L 2 - L 3
			Coxo-fémorale
			Genou
			Péronéo-tarsienne
			Métatarso-phalangienne

L 3 - L 4	Plexus lombaire
	Crural : 4 branches
	  musculo-cutané externe
	  musculo-cutané interne
	  du quadriceps
	  saphène interne
	Fessier supérieur
	Obturateur
	Grand sciatique
	Sciatique poplité externe
	Sciatique poplité interne
	Tibial antérieur
	Tibial postérieur
	Plantaires interne et
	  externe
	Plexus sacré
		Tenseur du fascia-lata
		Couturier
		Quadriceps
		Droit interne
		Psoas iliaque
		Carré des lombes
		Pectiné
		Obturateurs
		3 adducteurs
		Loge antéro-externe de la
		jambe
		Petit et grand fessiers
		Ischio-jambiers
		Poplité
		Loge postérieure de la jambe
		Péroniers
		Plantaire grêle
		Pédieux
			Articulations inter-
			  vertébrales L 3 - L 4
			Sacro-iliaque
			Coxo-fémorale
			Genou
			Péronéo-tarsiennes
			Métatarso-phalangiennes
			Intertarsiennes
			Tarso-métatarsiennes
			Intermétatarsiennes

PRINCIPALES CORRESPONDANCES NERVEUSES RADICULAIRES, MUSCULAIRES ET ARTICULAIRES

L 3 - L 4 (*suite*)		Court fléchisseur plantaire Extenseur propre du gros orteil Carré crural Long dorsal Transversaire épineux Masse sacro-lombaire Court fléchisseur du gros orteil Abducteur du gros orteil 2ᵉ lombrical	

L 5 - S 1	Plexus sacré
	Fessier supérieur
	Grand sciatique
	Sciatique poplité interne
	Sciatique poplité externe
	Tibial antérieur
	Tibial postérieur
	Plantaire interne
		Psoas iliaque
		Fessiers
		Obturateur interne
		Carré crural
		Long dorsal
		Transversaire épineux
		Masse sacro-lombaire
		Ischio-jambiers poplités
		Muscles
		  de la loge postérieure
		  de la jambe
		Muscles
		  de la loge antéro-externe
		  de la jambe
		Muscles
		  de la loge externe
		  de la jambe
		Pédieux
		Court fléchisseur plantaire
		2ᵉ, 3ᵉ, 4ᵉ lombrical
		Muscles propres du gros orteil
		Muscles propres du 5ᵉ orteil
		Interosseux plantaires
		Interosseux dorsaux
			Intervertébrales
			  L 4 - L 5 et L 5 - S 1
			Sacro-iliaque
			Coxo-fémorale
			Genou
			Péronéo-tarsiennes
			Métatarso-phalangiennes
			Interphalangiennes
			Intertarsiennes
			Intermétatarsiennes
			Tarso-métatarsiennes

6

NOMENCLATURE THÉRAPEUTIQUE OSTÉOPATHIQUE DES PIVOTS

La finalité de notre étude sur les pivots vertébraux et ligamentaires est bien évidemment l'aspect thérapeutique.

Quatre choix sont envisageables :

1 — La normalisation spécifique de chaque pivot.

2 — Le « déblocage » d'une situation pathologique de compensation.

3 — L'ajustement spécifique.

4 — Le travail spécifique d'équilibration permis par le système croisé myo-fascial.

Nous allons répertorier un choix non exhaustif de techniques permettant dans chacun des choix précités de résoudre le problème thérapeutique que la clinique nous aura imposé.

Il n'entre pas dans notre intention de décrire minutieusement chacune de ces techniques. D'autres l'ont fait dans d'excellentes conditions tout aussi bien et même mieux que nous n'aurions su ou pu le faire. Nous préférons *la pratique* de ces techniques.

Si l'ensemble des possibilités techniques thérapeutiques doit être connu des praticiens avertis, nous laissons à chacun le soin de choisir lui-même la meilleure action possible en fonction des lésions.

LA NORMALISATION SPÉCIFIQUE DE CHAQUE PIVOT

Elle impose un travail soigneux des *tissus mous* et un travail *articulatoire* précis.

— Au niveau des pivots vertébraux C 2, C 5, D 3/D 4/R 4, le travail des tissus mous peut être enchaîné et se fondre en un ensemble de techniques liant cou et ceinture scapulaire.

— Le travail articulatoire doit être plus important au niveau du pivot C 2 et de l'ensemble thoracique haut.

— Au niveau du pivot D 9 le travail articulatoire en rotation et en sidebending, prime.

— Au niveau du pivot L 3 le travail articulatoire en flexion - extension est prioritaire.

— Au niveau du pivot ilio-lombo-sacré le travail articulatoire prime également.

— Au niveau du pivot ligamentaire sterno-claviculaire, tissus mous et travail articulatoire ont autant d'importance l'un que l'autre. L'appareil scapulaire *dans son ensemble* doit être traité. Il importe de commencer par *le côté opposé* aux situations lésionnelles constatées.

— Au niveau du genou un léger travail des tissus mous périphériques (cuisse et jambe) doit toujours suivre le travail articulatoire.

— Au niveau du pied, le travail articulatoire de tout l'ensemble du pied est *primordial et nécessaire.*

LE « DÉBLOCAGE » D'UNE SITUATION PATHOLOGIQUE DE COMPENSATION

— Au niveau des pivots vertébraux, il dépendra du degré lésionnel. L'application des lois de Fryette imposera la correction nécessaire. Il faut se rappeler qu'au niveau cervical, c'est la 2e loi qui est en jeu surtout en ce qui concerne le pivot C 5. Le pivot C 2 présentant la particularité de faire partie du cardan occiput, C 1, C 2, il nous faudra absolument corriger l'ensemble du cardan.

— Au niveau du pivot D 3/D 4/R 4, comme au niveau des pivots D 9 et L 3 il importe en tout premier lieu de *normaliser par un travail articulatoire important* tous les arcs et arches sus et sous-jacents. L'application de la correction de chacun des pivots en accord avec les lois de Fryette (E.R.S. - F.S.R.), ne doit être entreprise *qu'après*.

—. Le pivot ilio-lombo-sacré présente une situation particulière. L'ensemble du pelvis est intéressé. Il importe de normaliser d'abord le bassin puis l'arche dorso-lombaire *et* l'arc lombaire avant de corriger sacrum, iliaques et vertèbres lombaires L 5 et L 4. Les lignes de forces A.P. et P.A. aboutissant toutes au niveau du bassin, l'importance d'une correction bien faite de la « base » n'échappe à personne.

— Au niveau du pivot sterno-claviculaire, c'est la normalisation fonctionnelle analytique de la clavicule qui doit être effectuée. Le contrôle contro-latéral est nécessaire. Tissus mous et travail articulatoire se partagent équitablement l'action thérapeutique ostéopathique.

— Au niveau du genou, la correction dépend très souvent des articulations sus et sous-jacentes : hanche et pied. Il importe de tenir compte du péroné. Le traitement myo-fascial des muscles et fascias de la cuisse et de la jambe *doit précéder* toute correction.

— Au niveau du pied, la correction ne peut être accomplie qu'après un travail articulatoire de *tout* le pied. Il faut tenir compte du péroné et de la tibio-tarsienne.

L'AJUSTEMENT SPÉCIFIQUE

Il est avant tout à *visée énergétique.* La caractéristique première d'un ajustement articulaire doit être sa *précision.*

Au niveau des pivots vertébraux, c'est l'impact précis de l'ajustement qui peut obtenir la réponse médullaire demandée. Mais, avant, la normalisation de l'ensemble des « mécaniques » doit être fait. La rectitude des lignes de forces A.P. et P.A., le « placement » le plus correct possible de la ligne de gravité doivent être recherchés. Il faut rappeler que tout traitement d'ajustement à visée énergétique emploie la technique dite « des corps ».

Au niveau des pivots ligamentaires, c'est l'examen clinique de début qui sera primordial. La décision d'un ajustement spécifique ne sera prise que si l'on est sûr de son fait. Il sera de toute manière précédé d'une normalisation myo-fasciale et articulaire sus et sous-jacente très soigneuse.

Deux situations particulières se présentent pour nos pivots. Elles concernent le pivot vertébral C 2 et le pivot ligamentaire ilio-lombo-sacré.

C 2 dépend et contrôle tout à la fois le cardan cervical haut. Certaines situations pathologiques imposent d'utiliser non pas l'ajustement spécifique sur C 2 mais bien au niveau de l'atlas. Il ne faut pas s'en priver.

Le pivot ilio-lombo-sacré possède la particularité de « contenir » trois structures très souvent susceptibles d'avoir recours à l'ajustement spécifique : L 4, L 5 et le sacrum. La physiopathologie analytique en accord avec les lois mécaniques permet le choix de l'une ou l'autre de ces trois structures.

Il est souhaitable de n'en « ajuster » spécifiquement qu'une seule à la fois surtout si la recherche d'un impact « parasympathique sacré » est le but de l'action thérapeutique engagée.

TRAVAIL SPÉCIFIQUE D'ÉQUILIBRATION
PAR LE SYSTÈME CROISÉ MYO-FASCIAL

Compte tenu de nos options dynamiques concernant plus particulièrement le déplacement vectoriel du corps humain : la marche, le choix du travail spécifique du système croisé myo-fascial s'impose à celui du système droit.

En aucune manière nous ne rejetons ce dernier. Il possède toute son utilité dans l'ergonomie humaine. Mais l'utilisation correcte des pivots vertébraux et ligamentaires est prédominante dans l'action dynamique du système croisé.

Le travail spécifique suivra le schéma suivant :
— La mise en tension *passive* de l'ensemble myo-fascial choisi,

— La demande de mise en action *activo-passive* par le sujet du même ensemble myo-fascial,

— Le travail *actif postural* contrôlé,

— Un éventuel travail actif de relâchement ou de renforcement de l'ensemble myo-fascial choisi, si nécessaire.

— La mise en tension *passive* induit l'éveil de la proprioceptivité nécessaire. Une explication orale doit la précéder.

— L'action *activo-passive* est entreprise par le sujet *avec* l'aide du praticien. Le rôle de ce dernier sera alors de corriger et de contrôler cette action.

— Le travail *actif postural* est *primordial.* C'est de lui que dépendra la mise en *situation d'inutilité* de toutes les tensions anormales myo-fasciales, afin de les faire disparaître.

— Tout renforcement — comme tout relâchement — doit être très soigneusement expliqué au sujet. Ce n'est qu'au prix d'une « inscription corticale » correcte que leur utilité, puis leur valeur, seront efficaces.

Nous avons choisi pour chaque pivot plusieurs possibilités de correction, de normalisation et d'ajustement spécifiques. Encore une fois ce choix est loin d'être exhaustif. En voici la liste « positionnelle ».

C 2

Décubitus

— Normalisation spécifique (TM et TA)*
— Déblocage d'une situation de compensation
— Ajustement spécifique
— Travail spécifique d'équilibration (système croisé)

Assis

— Travail spécifique d'équilibration (système croisé)

Procubitus

— Ajustement spécifique (choix personnel du praticien)

C 5

Décubitus

— Normalisation spécifique (TM et TA)
— Déblocage d'une situation de compensation
— Ajustement spécifique
— Travail spécifique d'équilibration (système croisé)

Assis

— Déblocage d'une situation de compensation
— Ajustement spécifique
— Travail spécifique d'équilibration (système croisé)

---

* TM : Traitement des tissus mous ;
  TA : Traitement articulaire.

D 3/D 4/R 4

Décubitus et décubitus latéral
— Normalisation spécifique (TM et TA)
— Déblocage d'une situation de compensation
— Ajustement spécifique
— Travail spécifique d'équilibration (système croisé)

Assis
— Normalisation spécifique (TA)
— Déblocage d'une situation de compensation
— Travail spécifique d'équilibration (système croisé)

Procubitus
— Normalisation spécifique (TM et TA)
— Ajustement spécifique

R 4

Décubitus, décubitus latéral, procubitus
— Normalisation spécifique (TM et TA)
— Déblocage d'une situation de compensation
— Ajustement spécifique
— Travail spécifique d'équilibration (système croisé)

D 9

Décubitus et décubitus latéral
— Déblocage d'une situation de compensation
— Ajustement spécifique
— Travail spécifique d'équilibration (système croisé)

Assis
— Normalisation spécifique (TA)
— Déblocage d'une situation de compensation
— Travail spécifique d'équilibration (système croisé)

Procubitus
— Normalisation spécifique (TM et TA)
— Ajustement spécifique

L 3

Décubitus et décubitus latéral
— Normalisation spécifique (TM et TA)
— Déblocage d'une situation de compensation
— Ajustement spécifique
— Travail spécifique d'équilibration (système croisé)

Assis
— Normalisation spécifique (TA)
— Travail spécifique d'équilibration (système croisé)

Procubitus
— Normalisation spécifique (TM et TA)
— Travail spécifique d'équilibration (système croisé)

Pivot ilio-lombo-sacré

Décubitus et décubitus latéral
— Normalisation spécifique (TM et TA)
— Déblocage d'une situation de compensation
— Ajustement spécifique
— Travail spécifique d'équilibration (système croisé)

Assis
— Travail spécifique d'équilibration (système croisé)

Procubitus
— Normalisation spécifique (TM et TA)
— Déblocage d'une situation de compensation
— Ajustement spécifique
— Travail d'équilibration (système croisé)

Pivot sterno-claviculaire

Décubitus et décubitus latéral
— Normalisation spécifique (TM et TA)
— Déblocage d'une situation de compensation
— Ajustement spécifique
— Travail spécifique d'équilibration (système croisé)

Assis
— Idem

Procubitus
— Normalisation spécifique (TM et TA)
— Travail spécifique d'équilibration (système croisé)

Pivot du genou

Décubitus et procubitus
— Normalisation spécifique (TM et TA)
— Déblocage d'une situation de compensation
— Ajustement spécifique
— Travail spécifique d'équilibration (système croisé)

Pivot astragalo-calcanéen

Décubitus et procubitus
— Normalisation spécifique (TM et TA)
— Déblocage d'une situation de compensation
— Ajustement spécifique
— Travail spécifique d'équilibration (système croisé)
Le travail spécifique d'équilibration intéressant l'utilisation du système croisé

peut et doit pouvoir s'exécuter en position verticale, c'est-à-dire debout. En effet, la finalité de l'utilisation du corps humain doit se programmer dans la position la plus fréquente de l'ergonomie humaine : la position verticale.

Ce travail spécifique des systèmes (croisés et droit) se fera le plus possible dans les mises en tension *passive* et dans le travail *activo-passif,* comme dans les recherches de travail *actif* personnalisé de relâchement ou de renforcement de l'ensemble myo-fascial concerné, en position de décubitus, de décubitus latéral et de procubitus, mais aussi et surtout en position verticalisée, assis ou debout.

La proprioceptivité ne peut être sollicitée et améliorée que lorsque les mécaniques vertébrales, les différents trépieds en cause et l'application de leurs lois, ainsi que la correcte physiologie des pivots seront respectés.

Comme nous l'avons précisé, nous ne décrirons pas les techniques ostéopathiques employées. Par contre, il nous incombe d'en énumérer les principales pour chacun des pivots.

Ce n'est qu'un choix volontaire non exhaustif.

Pivot astragalo-calcanéen

Décubitus dorsal
- Mobilisation en 8 de Chopart
- Ajustement astragalo-calcanéen antérieur (antéro-interne)
- Ajustement astragalo-calcanéen postérieur (postéro-externe)
- Mobilisation médio-tarse
- Ajustement métatarsien (barre de torsion de Hendrickx)

Procubitus
- Décoaptation astragalo-calcanéenne et tibio-tarsienne.

Pivot genou

- Mobilisations tibiales en rotation
- Déblocage tibia postérieur
- Déblocage de la base péronéale
- Déblocage de la tête péronéale
- Déblocage tibia antérieur
- Ajustement en latéralité.

Pivot ilio-lombo-sacré

NORMALISATIONS FASCIALES

Décubitus dorsal
- Traction MI (membre inférieur)
- Mobilisation en circumduction cuisse sur bassin
- Correction pubienne-adduction forcée en X (« shot gun technic »)
- Abduction forcée MI fléchis

Procubitus
- Traction MI

- Circumduction MI fléchi avec appui SI (sacro-iliaque)
- Mobilisation antéro-postérieure du sacrum
- Pressions spécifiques lombaires.

Décubitus latéral
- Mobilisation flexion-extension L 3 - L 4 - L 5
- « 1/2 Sims »
- Utilisation MI pour travail des obliques.

CORRECTIONS SPÉCIFIQUES

Décubitus latéral
- Torsions sacrées (Mitchell)
- Iliaque antérieur   technique « Wernham ».
- Iliaque postérieur

Procubitus
- « Recoil » SID et SIG
- Ajustements L 4 et L 5 - « Roll technic »
- « Chicago technic »

Pivot sterno-claviculaire

NORMALISATIONS FASCIALES

Décubitus dorsal
- Traction MS (TA)
- Mobilisation en rotation MS (membre supérieur)
- Étirement latéral cervical.

Procubitus
- Mobilisation indirecte du segment céphalique

Décubitus latéral
- Travail des tissus mous de l'hémiceinture scapulaire

CORRECTIONS SPÉCIFIQUES
- Ajustement sterno-claviculaire antérieur et supérieur
- Correction 1ere côte.

Pivot L 3

NORMALISATIONS LOMBAIRES

Assis
- Latéralités passives
- Mobilisation lombaire antéro-postérieure.

Décubitus latéral
- Mobilisation spécifique antéro-postérieure
- « Roll technic »
- Techniques d'énergie musculaire spécifique de normalisation.

Pivot D 9

Assis et procubitus
— Normalisations dorso-lombaires.

Procubitus
— Ajustement spécifique.

Assis
— Correction spécifique
— « Dog technic »
— Techniques d'énergie musculaire spécifique de normalisation.

Pivot D 3 - D 4 - R 4

NORMALISATION TISSUS MOUS cervico-dorso-scapulaires.

Procubitus
— Pressions spécifiques
— Mobilisations omo-thoraciques
— Travail cervico-céphalique.

Décubitus
— Travail cervico-céphalique
— Traction MS (membre supérieur)

Assis
— Mobilisations dorsales hautes.

CORRECTIONS SPÉCIFIQUES

Procubitus
— « Recoil »

Décubitus dorsal
— « Dog technic »

Assis
— « Full Nelson »

Décubitus latéral
— Ajustement costal

Pivot C 5

NORMALISATION TISSUS MOUS cervicaux
Dans les 3 positions de décubitus (utilisation du levier cervico-céphalique)

CORRECTIONS SPÉCIFIQUES : assis et décubitus dorsal.

Décubitus dorsal
— Ajustements spécifiques.

Pivot C 2

NORMALISATION TISSUS MOUS sous-occipitaux et cervicaux
— Dans les 3 positions de décubitus.

Décubitus dorsal
— Étirements - tractions spécifiques
— Ajustements spécifiques.

N.B. — Nous sommes conscients du nombre important d'appellations anglo-saxonnes, mais l'ostéopathie doit rester leur domaine de base. Leur traduction littérale ne délivre que très rarement la quintessence du mot choisi.

CONSEILS

. La correcte utilisation des pivots est indispensable à une bonne ergonomie humaine.

. Tout travail articulatoire ostéopathique doit privilégier les pivots ligamentaires.

. Un traitement ostéopathique global doit toujours faire intervenir la correction des pivots.

. L'action myo-tensive est le seul moyen de maintenance d'une bonne correction des pivots.

. La prédominance du système croisé est primordiale quant à l'utilisation des pivots.

. Le travail myo-tensif érecteur-sustentateur postérieur du rachis doit être privilégié.

. L'ajustement spécifique d'un pivot vertébral est un acte thérapeutique de premier choix ; il ne doit être entrepris qu'en toute connaissance de cause.

. L'examen radiologique est un adjuvant clinique indispensable au traitement des pivots.

. L'interférence biomécanique entre chaque pivot exige un examen ostéopathique minutieux et complet.

BIBLIOGRAPHIE

BARRAL J.P., MATHIEU J.P., MERCIER P. — *Ostéopathie, diagnostic articulaire vertébral*. Maloine, 1981.

BARON J.B. — *La régulation posturale*. Plaquette du film « La régulation posturale ». Cinémathèque Clin-Comar-Byla.

BOUSQUET G., RHENIER J.L., BASCOULERGUE G., MILLON J. *et coll*. — *Illustré du genou*. Éditions Guy Mure, 1982.

BRIZON J., CASTAING J. — *Les feuillets d'Anatomie*. Fasc. n° 1 à 15, Maloine, 1953.

BUSQUET L. — *Traité d'Ostéopathie myo-tensive*. Tome 1. Maloine, 1982.

CASTAING J., SANTINI J.J. — *Medicorama n° 12 - Le rachis*. Laboratoires d'Anatomie des C.H.U., 1er cycle, 1969.

CECCALDI A., MOREAU G.H. — *Bases biomécaniques de l'équilibration humaine et orthèse podologique*. Maloine, 1975.

CECCALDI A., LE BALCH B. — *Les contentions souples*. C.I.F.C. Imprimeur-éditeur, 1971.

CECCALDI A., FAVRE J.F. — *Relations ostéopathiques pieds-pelvis*. A.C.F.P., 1981.

CECCALDI A., FAVRE J.F., PEYRALADE F. — *Le petit triangle supérieur*. A.C.F.P., 1984.

DELMAS A. — *Voies et centres nerveux*. 9e édition. Masson et Cie, 1973.

DUCROQUET R. et P. — La marche et les boiteries. Études des marches normales et pathologiques. *Acta Orth. Belg.*, 1963.

DUCROQUET R., DUCROQUET J., DUCROQUET P. — *Le pas pelvien*. La Presse Médicale, 72, n° 36, 1964.

FRYETTE H.H. — *Principles of osteopathic technic*. The Academy of Applied Osteopathy, 1954.

GREEN J.H. — *A.B.C. de physiologie clinique*. Traduit par S. SEROUSSI, Masson et Cie, 1974.

GUYTON A.C. — *Physiologie de l'homme*. Traduit par J. GONTIER. 4e édition, Éditions HRW et W.B. Saunders, 1974.

HENDRICKX G. — Pathogénie des déformations statiques de la voûte du pied. Lois de l'interdépendance des arches longitudinales du pied. *Acta Orth. Belg.*, 1934.

ISSARTEL L., ISSARTEL M. — *L'ostéopathie, exactement*. Robert Laffont, Collection « Réponse-Santé ».

KAPANDJI I.A. — *Physiologie articulaire*. Membre inférieur, 1968 ; Tronc, 1972 ; Membre supérieur, 1975. Maloine.

KNOTT M., VOSS D. — *Facilitation neuromusculaire proprioceptive*. Schémas et techniques de Kabat. 2e édition. Maloine et Prodim, Bruxelles, 1977.

KORR I.M. — *Bases physiologiques de l'Ostéopathie*. Travaux des Laboratoires de Kirksville (Missouri), traduit par F. BURTY, 1976.

LABORIT G., EMMANUELLI X. — Activité motrice et tonus musculaire. *E.M.C. (Paris)*, 36040 G. 10-3, 1976.

LACÔTE M., CHEVALIER A.M., MIRANDA A., BLETON J.P., STEVENIN P. — *Évaluation clinique de la fonction musculaire.* Maloine, 1982.

MITCHELL F., MORAN P., PRUZZO N. — *An evaluation and treatment manual of osteopathy muscle energy procedures.* Published by the Authors, 1979.

PIERA J.B., GROSSIORD A. — La Marche. *E.M.C. (Paris), Kinésithérapie*, 4402-260/3, A 10 à A 15.

PIRET S., BÉZIERS M.M. — *La coordination motrice.* Masson et Cie, 1971.

RICHARD R. — *Lésions ostéopathiques vertébrales.* Tome 2, pages 689-720, Maloine, 1982.

ROUVIÈRE H. — *Anatomie.* Tomes I, II, III, Masson et Cie.

SAMSON WRIGHT et coll. — *Physiologie appliquée à la médecine.* Traduit par G. BARIÈS, Flammarion, 1973.

SAUNDERS J.B., INMAN V.T., EBERHARDT H.D. — The major determinant in normal pathological gate. *J. Bone Jt Surg., 35 A,* 3, 1953.

STRUYF-DENYS G. — *Les chaînes musculaires et articulaires.* SBO et RTM, Belgique, 1978.

WERNHAM S.G.J. — *Les mécaniques de la colonne vertébrale et du bassin.* Édité par Clinique Ostéopathique de Maidstone, Kent, England, 1973.

WERNHAM S.G., HALL T. — *Mechanics of the Spine.* The Osteopathic Institute of applied Technic, 1956.

INDEX ALPHABÉTIQUE DES MATIÈRES

A

Acetabulum, 64.
Activité motrice globale, 82.
— tonique posturale, 79, 86.
Adaptation mécanique respiratoire, 61, 62.
— physiologique mécanique, 51.
— du rachis aux rotations opposées des ceintures, 51.
Ajustement vertébral, 52.
Appareil ligamentaire sterno-claviculaire, 11.
Apex, mobilité cervicale, 112.
— circulatoire, 112.
— vital, 113.
— de stabilité, 113.
Apophyse semi-lunaire, 20.
Appui antérieur de réception-freinage, 26.
— unilatéral, 25, 34, 44.
— unipodal droit, 42.
— unipodal gauche, 41.
— postérieur d'élan.
Arcs, 57.
Arches vertébrales, 54.
Archéo-cérébellum, 83.
ARNOLD (nerf), 24.
Articulatoire (travail), 125.
Astragalo-calcanéen, 5.
Attitude corporelle, 57.
— scoliotique transitoire, 37.
Axes fonctionnelles du pied (les 3), 109.
— de mobilité, 48.
Axile (ligament), 10.
Axis, 22.

B

Bandelette longitudinale postérieure, 24, 88.
Balance (jeu de), 54.

A

Barre de torsion de HENDRICKX, 70.
Boiterie de TRENDELENBURG, 33.

C

Cardan cervico-céphalique, 112.
— Occ. C1. C2, 40, 57.
— O.A.A., 23, 57.
Canaux semi-circulaires, 87.
Centre de gravité, 113.
Cervico-céphalique (système croisé), 100.
Chaînes musculaires, 96.
Clef du cou (axis), 58, 107.
Clavi-pectorale (aponévrose), 76.
Clavi-pectoro-axillaire (aponévrose), 76.
Compensations mécaniques, 61.
Complexe articulaire D_3-D_4-R_4, 18.
— pivot, 68.
— scapulo-brachial, 74.
Corpuscules, 86.
Correspondances vertébro-viscérales, 112.
Contre-nutation, 65.
Courbure cervicale, 53.
— dorsale, 53.
— lombaire, 53.
— sacrée, 53.
Courbures vertébrales, 53.
Croisés de genou (ligaments), 7.
Cruciforme (ligament), 23.
Cybernétique du corps humain, 81.

D

Déambulation humaine, 47.
Déblocage, 125.
Définitions structurelles anatomo-physiologiques, 5.
Demi-pas antérieur, 36.
Demi-pas postérieur, 35.

Démontage particulier de la marche, 25.
Déplacement vectoriel, 3.
Désadaptation mécanique, 51, 53.
Directives claviculaires, 74.
Dislocation des lignes verticales, 52.
Distorsion du P.T.I., 73.
Double appui, 25.

E

Entorse, 68.
Équilibrateur (sustentateur), 104.
État transitoire alternatif du cycle de la marche, 30.
Étirement ligamentaire extra-physiologique, 68.

F

Freins de la nutation (supérieur et inférieur), 10.
Freinateur actif, 69.
Fuseau neuro-musculaire, 84.

G

GOLGI (corpuscules), 86.
Garants actifs, 101.
Gravitaires (lois), 47.
GROSSIORD (étoile de), 99.
Guidage proprioceptif, 95.
Gainage musculaire profond, 17.

H

Hélicoïdale, torsion, 98.
—, adaptation, 105.
HENDRICKX (barre de torsion), 70.
HENKE (axe de), 6, 7, 69, 70.
Hyoïde (os), 97.

I

Ilio-lombo-sacré, 9.
Ilio-transversaire lombaire (inférieur et supérieur), 9.
Informationnel (circuit), 80.
Interaction mécanique, 62.

L

Lésion ostéopathique, 51, 52.
Leviers, 60.

Ligaments astragalo-calcanéen (pivot ligamentaire), 68.
— croisés du genou (pivot ligamentaire), 71.
— ilio-lombo-sacré (complexe-pivot), 65.
— sacro-iliaque, 66.
— sacro-sciatique, 66.
— sterno-claviculaire (pivot ligamentaire), 74.
Ligne antéro-postérieure A.P., 54, 55.
— de gravité, 55.
— postéro-antérieure P.A., 54, 55.
— sinusoïdale de la marche, 33.
Lois de LOWETT (FRYETTE), 38, 95.
— mécaniques, 50.
— du trépied, 50.

M

MAGNUS et KLEIN (réflexe), 89.
Marche, 25.
Membre inférieur oscillant, 25.
— — portant, 25.
MITCHELL (axes), 11, 29.
Montage articulé, 19.
Mouvement, 81.
— hélicoïdal de torsion, 98.
Motoneurone alpha phasique, 86.
— alpha tonique, 86.
— gamma, 84.
Muscle (moyen), 81.
Myo-fascial, 92.
Myotatique (réflexe), 87.

N

Néo-cérébellum, 84.
Normalisation, 105.
Nutation, 65.

O

Oculo-motricité, 88.
Odontoïde, 22.
Organisation mécanique générale de la colonne, 57.
Otolithique, 87.

P

PACCINI, 86.
Paléo-cérébellum, 83.
Passage oscillant, 38.

Pas pelvien (DUCROQUET), 29.
Petit triangle inférieur, 57, 73.
Pivot(s) astragalo-calcanéen, 5, 68.
— ilio-lombo-sacré, 3.
— ligamentaires, 5.
— respiratoires, 63.
— vertébraux, 5.
Plan horizontal, 48.
— vertical frontal, 48.
— vertical sagittal, 48.
Point d'appui, 49.
Podal (système), 102.
Posture totale, 105.
Poulie de rappel, 97.
Poussée-décollage, 27.
Polygone de sustentation, 113.
Premier double appui, 25.
Premier appui unilatéral, 25.
Propriocepteur cutané plantaire, 86.
Proprioceptif, 95.
Propulseur du pied, 103.

R

Redressement-flexion, 93.
Régulation du système supra-spinal, 87, 89.
Relais (atlas), 58.
RENSHAW, 87.
Rotule mécanique de liaison, 64.
RUFFINI, 86.

S

Sacro-iliaques antérieurs, 10.
— postérieurs, 10.
Situation d'inutilité, 128.
Socle thoracique, 101.
Soutenu, 58, 65.
Spacio-temporel, 93.
Spécialisation phasique, 85.
— tonique, 85.
Spirale diagonale analytique, 95.
— — globale, 95.
Sterno-claviculaire, 11.
Strain, 54.
Stress, 54.
Stretch réflexe, 87.
Substance réticulé mésencéphalique, 83.

Supra-spinale (organisation), 85.
Support vertébral, 47, 108.
Suspendu, 58.
Sustentation (polygone de), 47, 113.
Sustentateur équilibrateur, 27, 104.
Symphise pubienne, 33.
Systèmes (théories des), 79.
— cérébelleux, 83.
— croisé, 80, 93.
— droit, 96, 98.
— extra-pyramidal, 83.
— inhibiteur de RENSHAW, 87.
— ligamentaire ilio-lombo-sacré, 9.
— médullaire segmentaire, 84.

T

Thoracique (socle), 101.
Tiroir (mouvements), 72.
Tonus de posture, 86.
Torsion hélicoïdale, 98.
— sacrée, 44, 65.
Totale (posture), 105.
Transmetteur de pression, 69.
Trépied vertébral, 47.
Triangulation du membre inférieur, 73.
Tuteur (péronier), 69.
Type antérieur, 57.
— postérieur, 68.

V

Variateur des deux courbes, 59.
Vaso-motricité (centre vertébral), 61.
Vectoriel (déplacement), 93.
Verrouillage, 27, 28, 71.
Vertébro-viscérales (correspondances), 112.
Vigilance de bon positionnement, 97.
Vrillage iliaque, 29, 34.
— myo-tensif, 101.
— pelvien, 29.
— sterno-claviculaire, 30, 76.

Z

ZAGLAS (ligament), 10.

MASSON Éditeur
120, bd St-Germain, 75280 Paris Cedex 06
Dépôt légal : 2ᵉ trimestre 1986

Imprimerie de l'Indépendant
53200 Château-Gontier
Avril 1986

9 782225 807879